COLLE

CW00692996

Paul Fournel

La liseuse

P.O.L

Paul Fournel est écrivain. Il a longtemps été éditeur (chez Ramsay et Seghers entre autres). Il a été président de la Société des gens de lettres. Il a dirigé l'Alliance française de San Francisco. Il a été attaché culturel au Caire et à Londres.

Il est maintenant écrivain à plein temps et cycliste le reste du jour.

Pendant son troisième plein-temps, il préside l'Oulipo.

Il y a une foule de livres qu'il faut avoir lus, que tout le monde a lus, que je n'ai pas lus, estimant sans doute qu'ils avaient été assez lus sans qu'ils aient besoin que je les lise ; pendant ce temps-là, je lisais d'autres livres.

FRANÇOIS CARADEC

"No one knows what makes books sell."
"I've heard that before," Garp said.

JOHN IRVING,
The World According to Garp

1

Longtemps j'ai croisé les pieds dessus pour un peu de détente, d'élévation, pour un peu plus de sang au cerveau, maintenant, il m'arrive de plus en plus souvent d'y poser la tête, surtout le soir, surtout le vendredi soir. Je croise les bras sur le manuscrit ouvert et je pose ma tête dessus, le front sur l'avant-bras et la joue sur le texte frais. Le bois du bureau amplifie les battements de mon cœur. Le vieux mobilier Art déco conduit bien les émotions et les fatigues. Ruhlman ? Leleu ? Il en a tant vu. J'écoute mon cœur, mon vieux cœur du vendredi, mon vieux cœur dans le silence de la maison. À cette heure, tout le monde est parti, je reste seul à bord, rincé, parce que je n'ai pas le courage de dresser la tour des manuscrits que je dois emporter pour le week-end. Comme chaque vendredi.

Celui qui est sous ma joue est un manuscrit d'amour : c'est l'histoire d'un mec qui rencontre une fille mais il est marié et elle a un copain… J'en ai lu sept pages et je le connais déjà par cœur.

Rien ne pourra me surprendre. Depuis des lunes, je ne lis plus, je relis. La même vieille bouillie dont on fait des « nouveautés », des saisons, des rentrées « littéraires », des succès, des bides, des bides. Du papier qu'on recycle, des camions qui partent le matin et qui rentrent le soir, bourrés de nouveautés déjà hors d'âge.

Depuis combien d'années ai-je arrêté de sauter de joie à l'idée que j'allais découvrir un chef-d'œuvre et rentrer au bureau le lundi en étant un homme neuf ? Vingt ans ? Trente ans ? Je n'aime pas tenir ce genre de compte qui sent la mort. Si je ferme les yeux je vois la lueur jaune uniforme de la lampe de Perzel à travers mes paupières et puis des formes noires l'envahissent, construisant des ruines mouvantes, des dessins de Victor Hugo. Mon souffle ralentit, mon cœur se calme un peu, je pourrais m'endormir, mourir. Mourir à l'attache. On dirait : « Il est mort comme il a vécu, parmi les livres, en lisant ! » et, en vérité, je serais mort en rêvant à rien. Il y a bien bien longtemps que je ne lis plus vraiment. Est-ce que je sais seulement encore lire — ce qui s'appelle lire ? En suis-je seulement capable ? Si je tourne la tête sur le côté, mon cœur cogne davantage et fait trembler le bois…

La maison est plongée tout entière dans un silence de vieux papier. Comme la neige, les livres mangent les bruits. Mon métier a son odeur et ses étouffements. Je le respire encore mieux dans ce silence. Retourner au bruit du monde est toujours une épreuve.

Qui peut bien frapper ? Je ne reconnais pas cette frappe légère, petite, discrète. Petite main.

— Entrez.

Elle entre. Je ne l'ai jamais vue. J'ai aussitôt une bouffée de nostalgie, la nostalgie du temps où la maison était encore si petite que je reconnaissais toutes les filles par leurs mollets dans les couloirs. Elle a une bonne tête. Vu son regard étonné, la mienne doit être un rien froissée. Des marques rouges de la manche de ma veste sur ma joue, sans doute.

— Je vous dérange ?

— Je survivrai à votre passage, Mademoiselle. Qui êtes-vous ?

— Ben, je suis la stagiaire !

— Dans quel service ?

— On ne me l'a pas dit. Vous savez, nous les stagiaires, on abat tellement de boulot qu'on a intérêt à être polyvalents.

— Vous voulez une augmentation ?

— Non, je ne gagne rien.

Elle est assez décoiffée, me semble-t-il, trouée au jean, colorée du reste. Elle est petite, elle a le regard noir, elle est sympathique, mais je serais bien en peine de dire si elle est jolie. Je ne sais plus lire ces filles-là non plus. Elle est vive. Normale sup ? Métiers du livre — la machine à fabriquer mille Gaston Gallimard par an pour mieux les broyer ensuite ?

— Non, gestion d'entreprises culturelles.

— Vraiment ? Et vous voulez gérer l'édition ? Je vous souhaite bonne chance.

— Je préférerais organiser des concerts.

— Asseyez-vous.

— Il faut que j'y aille, c'est vendredi. Il est tard.

— Cinq minutes. Vous voulez organiser des concerts ?

— Oui, c'est bien, la musique.

— Alors qu'est-ce que vous faites ici ?

— J'aime bien les livres aussi ! Et puis il y avait une place. On doit faire un stage en entreprise. Obligatoire.

— Et qu'est-ce que vous faites dans mon bureau, si ce n'est pas indiscret ?

— C'est monsieur Meunier, le grand patron, qui m'a dit de…

— Le grand patron ? Meunier ?

— Vous ne le connaissez pas ?

— Trop bien.

— Alors vous savez. C'est lui qui m'a dit de vous apporter ça.

— Et qu'est-ce que c'est, *ça* ?

— Ben, c'est une liseuse, un eBook, un iPad, je ne sais pas, moi. Il m'a dit qu'il avait mis tous vos manuscrits dedans pour le week-end et que ça vous ferait moins lourd. Vous voulez que je vous explique ? Regardez, c'est comme un écran avec tous vos manuscrits dessus. Ils sont sur l'étagère virtuelle en faux-vrai bois. Vous les touchez et ils s'ouvrent. Il y en a un paquet. Vous n'allez jamais lire tout ça en deux jours ! Regardez, le texte s'ouvre.

— Et j'avance comment ?

— On tourne les pages dans le coin d'en bas avec le doigt.

— Comme un bouquin ?

— Oui, c'est le côté ringard du truc. Une concession pour les vieux. Quand on se souviendra plus des livres, on se demandera bien pourquoi on avance comme ça. Autant défiler vertical. Scroller. Ce serait plus logique.

— C'est Kerouac qui va être content.

Elle ne réagit pas.

— Allez, excusez-moi, Monsieur, mais je dois filer, j'ai un avion. Lisez pas trop !

— À mon âge…

Elle disparaît d'un tour de fesses, tire la porte sur elle avec douceur et je me retrouve à câliner ma liseuse. Elle est noire, elle est froide, elle est hostile, elle ne m'aime pas. Aucun bouton ne protrude au-dehors, aucune poignée pour la mieux tenir, pour la balancer à bout de bras comme un cartable mince, que du high-tech luxe, chic comme un Suédois brun. Du noir mat, du noir glauque (au choix), du lisse, du doux, du vitré, du pas lourd. Je soupèse.

Je la pose sur le bureau et je couche ma joue dessus. Elle est froide, elle ne fait pas de bruit, elle ne se froisse pas, elle ne macule pas. Rien ne laisse à penser qu'elle a tous les livres dans le ventre. Elle est juste malcommode : trop petite, elle flotte dans ma serviette, trop grande, elle ne se glisse pas dans ma poche.

En fait, elle ressemble à Meunier, *Le grand patron*. Elle est inadaptée.

Elle a dit quoi, au juste, cette gamine, à propos des livres, des concerts ? D'une certaine façon, je vais devoir me séparer aussi de mon cartable, il est devenu trop grand. Depuis la khâgne que je le trimbale, le divorce sera difficile. On s'aimait très fort sans jamais se le dire. Bien bourré le vendredi soir, il avait le juste poids du travail. Celui qui fait que mon épaule gauche est un peu plus basse que la droite. Déformation professionnelle. Quasimodo.

Maintenant il me faudra une petite pochette spéciale pour y glisser ma liseuse. Avec poignée s'il vous plaît. Je suis certain que Meunier a déjà ça dans son tiroir et qu'il me l'apportera, triomphant, dès lundi matin en recueillant mes impressions sur sa nouvelle trouvaille. « Il faut être moderne, Gaston ! » Ça l'a toujours amusé de m'appeler Gaston. Peut-être pense-t-il me faire plaisir. À moins qu'il ne pense être drôle. Je ne me fais pas d'illusions, son cadeau ne sera pas du Hermès, pas même du Longchamp, j'imagine bien une sorte de plastique genre faux croco avec de la mousse pour amortir les chocs. Meunier lui-même.

Je vais y aller, je dois y aller. Mais je veux rester encore une minute, couché sur le bureau, juste une minute, le nez dans le manuscrit pour le renifler une dernière fois, tant il est vrai qu'une page bien sentie est une page déjà lue.

2

J'ai horreur de la campagne. C'est pour cette raison que j'y vais tous les week-ends. Pour lire et faire mes infarctus en terrain hostile, dans un méchant silence noir. Ayant renoncé depuis longtemps à passer de bonnes nuits, je me lève dans l'obscurité épaisse de la cambrousse et j'attaque invariablement le plus gros manuscrit du week-end. Je m'effondre dans le canapé, j'enroule mes jambes dans le plaid et je lis. D'ordinaire, la technique est simple, je tiens la pile de feuilles devant moi, posée sur mon ventre, et je fais tomber les feuilles lues sur ma poitrine. Petit à petit je sens s'y déposer le poids de mon travail. Je lis très attentivement les vingt premières pages, me forçant à la lenteur, puis le rythme s'accélère peu à peu, le métier prend le dessus, la connaissance de l'auteur, l'idée du sujet, ensuite l'imagination fait le reste. C'est ma lecture de demi-fatigue, celle où je suis enfoncé le plus profondément dans le texte. En sympathie avec lui. C'est l'heure bénie pour le travail des vieux auteurs de la maison, des valeurs sûres à qui il faut juste donner quelques coups de pique.

La tablette est posée sur mon ventre. Je la tiens à deux mains. La page est ouverte sur l'écran. J'ai marié la taille des caractères avec la force de mes demi-lunes. Le contact de la liseuse est froid. Il faudra un moment avant que mes mains la réchauffent. Ma lampe de lecture fait un reflet désagréable dans un coin de l'écran. Je l'éteins. Maintenant la seule lumière vient du texte. Un bon point. Si je me regarde dans le miroir, avec la tablette sous le menton, j'ai l'air d'un spectre. Je suis le fantôme du lecteur que je fus.

D'un doigt je fais tourner les pages qui se déposent nulle part. Elles disparaissent corps et biens dans un endroit imaginaire que j'ai du mal à imaginer. Ma poitrine est inquiète et aucun indice ne filtre sur l'avancement de ma lecture. Aucun froissement ne trouble le silence de la maison. Le petit coup d'éventail que chaque page en tombant me donnait dans le cou me manque. J'ai chaud. Mes yeux sont avalés par la lumière de la page. J'ai soudain perdu un personnage et je dois revenir en arrière. Mon crayon inutile est resté sur mon oreille (je suis un lecteur boucher) et je me demande bien comment je vais organiser ma chasse aux coquilles. L'idée de faire apparaître un clavier, comme la stagiaire me l'a montré, et de me glisser dans le texte me rebute. J'ai toujours été l'homme des marges et de la mine de plomb. Je veux être gommable. Un instant, je pose la liseuse sur ma poitrine et je ferme les yeux. J'attends que l'écran s'éteigne pour re-glisser un quart d'heure dans le sommeil, en attendant la lumière du jour.

La deuxième lecture de cette rituelle journée a lieu au bistrot. Dès l'ouverture. Le premier double serré au goût de ferraille est pour moi. Un immuable café coulé par l'immuable Albert que je connais depuis l'école, un homme de peu de mots et de grandes habitudes.

— Tu promènes ta télé, à présent ?
— Comme tu vois.
— Tu en as fini avec tes ramettes ?
— Je fais dans l'infroissable.
— Voilà ton jus, dès que Marco est ouvert je t'apporte ton croissant.

Dans le bruit du bistrot qui monte peu à peu, l'heure est aux lectures toniques. Les premiers clients viennent s'arracher au sommeil à petits coups de café-calva ou de blanc limé. On démarre en douceur. Les samedis sont longs. C'est l'heure où je lis les polars. La radio, perchée derrière le bar, donne des nouvelles en fond sonore qui se glissent entre les phrases, meurtres pour meurtres. Les assassinats se mélangent. En général, je reconnais ceux des livres parce que j'en sais la fin, les autres se perdent dans la bouillie des éternels commencements. Albert me fout la paix, les habitués aussi, je fais partie des meubles et je ne suis pas bruyant. Je tiens le coup jusqu'à l'heure des premières belotes, ensuite le bruit spasmodique des mènes, les engueulades rituelles, les annonces, me poussent au-dehors.

J'ai fait des taches de gras sur l'écran. Le croissant de Marco, à coup sûr. Albert me prête son cachemire de zinc pour faire propre. J'ajoute une petite finition sèche avec ma manche et je sors. Je me demande si cet engin est étanche.

C'est l'heure idéale pour aller au parc, où j'ai mon banc. Il ne fait pas beau. Il ne pleut pas. C'est l'heure de lire des poèmes sous le tilleul. Je ne parviens pas à les retrouver dans cette foutue boîte noire. Je fouille dans tous les coins pour retrouver mes poésies. C'est bien dans la manière de Meunier de les planquer. Au cas où il me prendrait fantaisie d'insister pour qu'on les publie. « Encore un gouffre, Gaston ! Encore un gouffre ! »

Si les poèmes sont bons, c'est le plus joli moment du jour. La chaleur monte, les gosses crient pointu, je replie une jambe sur le banc et je me chante les poèmes. Mon rendement devient lamentable, je traîne en chemin, je reviens en arrière, j'hésite, je récite, je perds un temps précieux. Mes vacances en quelque sorte. Je pose la liseuse sur mon genou, je regarde ailleurs, je pense bientôt à d'autres poèmes et à d'autres poèmes, bientôt à plus rien du tout. Je suis en fuite.

Parfois Adèle me rejoint. Avec les années, elle sait parfaitement à quel instant précis mon esprit divague, et elle peut alors se glisser pour me rapatrier dans la vie normale. Celle des gens qui ne lisent pas plus d'une heure par jour, celle de la fatidique ménagère de 50 ans qui dicte les choix éditoriaux, les mises en place commerciales et les sélections de la presse. Adèle arrive en général du fond du parc, je reconnais sa tignasse blanche, sa démarche en caoutchouc, devenue un peu hésitante, et je sais qu'il est l'heure.

Aujourd'hui elle ne viendra pas puisqu'elle m'a dit qu'elle voulait dormir et m'a donné mission de faire les courses. Je n'ai pas oublié. Je dois me tirer seul de ma torpeur. Elle a même ajouté qu'elle attendrait l'heure de la sieste pour me piquer la liseuse. Elle a les doigts fins et la tête agile. Moi, je suis plutôt du genre bouton d'un jour bouton de toujours, lecteur mais pas explorateur.

— Dis-moi, René, ça t'embêterait de me peser ça ?

Le boucher, droit dans son tablier rougi, couteau en croix sur le ventre, prend ma liseuse sans broncher et la pose sur sa balance. L'aiguille hésite un instant.

— 730 grammes sans la couenne, mon vieux Robert !
— Bon poids ?
— Toujours. Je peux le regarder, ton machin ? Comment on l'allume ?
— Appuie en bas, sur le creux.

Dans les gros doigts rouges de René, c'est donc le poids définitif de toute la littérature mondiale. 730 grammes. Hugo + Voltaire + Proust + Céline + Roubaud, 730 grammes. Je vous rajoute Rabelais ? 730 grammes. Louise Labé ? 730 grammes.

— Mets-moi deux pavés, René.

— Deux rumstecks, deux ! C'est comme si c'était coupé. Tiens, récupère ton engin. J'ai mis du sang. Les gosses vont vouloir ça. On peut regarder la télé, là-dessus ?

René coupe les deux pavés en repliant bien les phalanges sur la lame, le joli geste de son père. Il les dépose sur le papier sulfurisé, comme s'il s'agissait de chefs-d'œuvre. Rien ne change dans la boucherie, même couteau, même viande. Pas de révolution en marche.

— Tu vois René, tu as le steak d'un côté et le papier de l'autre. Eh bien moi, ça devient pareil, le texte d'un côté et le papier de l'autre. Ils ne sont plus collés désormais.

Je vais aller faire repeser ma liseuse par Marco, le pâtissier, pour me faire confirmer le poids total de la littérature et la fin finale des pavés. Et puis, avec un peu de chance, il mettra dessus un peu de crème.

3

— Qu'est-ce que c'est que ce sparadrap sur le nez ? Vous vous êtes battu ?

— Je me suis endormi en lisant et mon écran m'est tombé dessus. 730 grammes exactement, vérifications faites. Ça réveille. Encore une sieste foutue. Mais mon nez est solide. Toutefois, je dois reconnaître que je ne peux pas m'empêcher de loucher sur le pansement… Qu'est-ce que vous m'avez mis au programme aujourd'hui ?

J'aime beaucoup Sabine. Elle est rousse. Pour bien faire, il faudrait une rousse dans chaque entreprise. J'aime venir dans son bureau qui se trouve à côté du mien. Quand j'entre, elle pivote sur sa chaise pour me faire face, comme si on allait se battre. En vérité, nous jouons : je fais semblant de ne pas savoir ce que j'ai à faire et elle fait semblant de maîtriser totalement mon emploi du temps. Elle sait tout de moi et je sais pas mal d'elle. À y regarder d'un peu près, elle tient la maison et elle adore le prouver. Elle a été incroyablement jolie et elle est encore croyablement belle dans sa trentaine. Combien d'auteurs sont-ils restés à cause d'elle ? Combien d'ardentes amours a-t-elle nouées ? Elle a traversé les orages et les charrettes. Le jour où je l'ai recrutée, il y a une petite dizaine d'années, je me souviens de m'être dit : « Celle-là, avec ce tempérament, elle ne tiendra pas dix jours, mais j'ai vraiment besoin de quelqu'un. » C'est dire si je suis fort en femmes.

— Les gars de la fab veulent vous voir ce matin et à treize heures quinze, vous avez Balmer au déjeuner.

— Quelle cantine ?

— J'ai réservé au Tilbury. Ça va ?

— Toujours. Qu'est-ce qu'il veut, Balmer ?

— Rien. Il faut le pousser aux fesses. Il a touché une grosse avance et Meunier a peur qu'il traîne en chemin.

— Il n'y connaît rien, Meunier. Balmer est toujours à l'heure.

— C'est Meunier qui dort !

— Vous me la referez, celle-là. Vous avez envoyé le mail aux Amerloques ?

— Oui, chef.

Mme Martin, la propriétaire du Tilbury, rue du Dragon, qui a exactement l'âge de Pauline Réage, est responsable de la bedaine d'une grosse moitié de l'édition française. Elle est du genre mitonneuse, une mère lyonnaise en exil germano-pratin. Je me souviens d'avoir hésité un moment à créer ma maison quand j'étais jeune, à cause

24

d'elle, parce que, quand je voyais mes grands aînés épaissis, ralentis, gras, arpenter le quartier à pas lourds, ils m'effrayaient. L'idée de finir un jour comme eux ne me faisait pas vraiment envie. Heureusement, il y avait deux ascètes notoires qui rehaussaient le tableau en se livrant à leurs célèbres solos d'Évian. Ils étaient les statues du Commandeur de la profession. Des Giacometti. J'ai plongé. Au final, je n'aurai pas fait fortune dans ce métier mais j'aurai bien mangé.

— Je vous ai réservé votre place habituelle, Monsieur Dubois.
— Voilà qui est gentil, Madame Martin. Sacrifier une table ronde pour deux, dans une rue où chaque centimètre carré compte, est plus que généreux.
— À force de fidélité et de bel appétit, vous devez bien être propriétaire de la moitié de mon restaurant !
— Je voudrais bien.
— J'ai fait de la blanquette, aujourd'hui.
— Je vais attendre Balmer, mais donnez-moi à boire.
— Votre brouilly ?
— What else ?

C'est merveille de la voir se dandiner entre les tables. À ramasser des bribes de conversations à longueur de semaines, elle connaît tous les secrets. J'aimerais bien qu'elle me dise, par exemple, ce que le gros qui est dans le fond est en train de cuire, lequel de mes auteurs, par exemple, il va tenter de débaucher cette année en lui promettant les trompettes de la renommée et la cassette du succès…

— Voilà votre brouilly pour vous faire patienter. Il est assez frais ? J'ai un joli bordeaux aussi.

— Jamais. Vous voyez, je me lève tôt le matin, je suis toujours le premier au bureau. J'abats un boulot de chien. Je fais tout ce qui est clair, tout ce qui est décisif, avant le déjeuner. Vous vous souvenez, il y a vingt ans, on déjeunait à midi et demi, ensuite c'est devenu treize heures et maintenant on en est à treize heures quinze. Le décalage horaire me laisse grand temps. Ensuite, à table, je bois joyeusement pour avoir l'esprit brouilly tout l'après-midi. Cela me permet de prendre des décisions floues, bizarres. Il en faut, parce que notre métier est un métier de raison mais aussi un métier de hasard, de folie, un peu ivrogne parfois. Je parle du métier comme je le fais, bien sûr. Après, ceux qui organisent notre travail dans leurs Lagarde et Michard font de très raisonnables fortunes. À eux les grands bordeaux ! Excusez-moi… Allô, oui ? C'est toi, Balmer ? Tu as décidé de me faire crever de faim ? Il est la demie passée.

— Bouffe sans moi, c'est trop bien. Je suis chez Apple, je prends du retard. Ils veulent que j'écrive des textes pour les iPhones et pour les iPads. La fête ! Une vraie libération du roman papier calibré Goncourt. On peut faire des tas de texticules marrants. Tu verrais un peu. Toute une forêt à défricher…

— Tu n'oublies pas que tu m'en dois un bien standard, de texte. Bien vieux style ?

— Non, non, mais je t'assure, ça va être formidable. Il faut que tu t'y mettes. Ils sont géniaux. Je te laisse. Je te raconterai…

Il faut au moins une révolution technologique pour que je déjeune seul. Cela ne m'arrive jamais et quand par hasard cela se produit, je ne vais jamais au restaurant. Une tartine ballon de brouilly à la Croix-Rouge fait largement l'affaire.

— Je suis encore plus désolé pour votre belle table, Madame Martin. Je vais être contraint de déjeuner seul.

— Vous innovez, Monsieur Dubois. Qu'est-ce qui vous ferait plaisir ?

— Je voudrais un artichaut pour commencer.

— Tiède ?

— Tiède, et une cervelle de veau meunière en suivant.

L'artichaut est un légume de solitude, difficile à manger en face de quelqu'un, divin lorsqu'on est seul. Un légume méditatif, réservé aux bricoleurs et aux gourmets. D'abord du dur, du charnu, puis, peu à peu, du plus mou, du plus fin, du moins vert. Un subtil dégradé jusqu'au beige du foin qu'un dernier chapeau pointu de feuilles violettes dévoile. La vinaigrette qui renouvelle son goût au fil des changements de texture. Un parcours que l'on rythme à sa guise. Rien ne presse dans l'artichaut. On peut sucer une feuille pendant plusieurs minutes, jusqu'à l'amertume, on peut, au contraire, racler des incisives la chair de plusieurs feuilles à la suite pour se donner une bouchée consistante. La seule figure interdite est celle de l'empiffrement. Un légume qui a ses règles d'élégance. Puis vient le moment distrayant de l'arrachage. Saisi entre pouce et couteau, le foin cède en petites touffes nettes, libérant le cœur de toute sa toison en une sorte de saisissant raccourci amoureux. Enfin arrive le moment de la récompense : à la fourchette et au couteau on peut entrer dans le cœur du légume, priant le jardinier de n'y avoir laissé aucun arrière-goût de farine.

À cet instant, Mme Martin a discrètement poussé sur la table un petit ramequin de sauce supplémentaire, à peine adoucie d'un trait de crème fraîche.

Y a-t-il seulement une place digne pour l'artichaut dans la littérature ? Un volume, une page, un paragraphe ? À vérifier dès ce soir.

Se recaler dans le fauteuil, avaler un cube de pain avant le brouilly qui déteste la vinaigrette et puis attendre la divine cervelle meunière que l'on découpe paresseusement à la fourchette et que l'on met à fondre entre langue et palais. Encore un plat de solitaire. Les intellectuels détestent qu'on mange de la cervelle sous leur nez et la cervelle au déjeuner est une grave faute de goût de la part d'un éditeur.

4

— Tu as vu, Gaston ? C'est génial, non ? Dis-moi qu'elle n'est pas magique ma tablette !

— J'ai noté qu'elle avait tendance à dissimuler les poèmes.

— Mauvais joueur. Tu as deux mains gauches et tu ne veux pas chercher.

— Et puis, je voulais lire dans le train, au retour, et je n'avais plus de jus. Là, elle devient franchement encombrante.

— Imprévoyance !

— Enfin, mon nez est détruit. Je pense que je vais prendre quelques semaines d'arrêt pour accident du travail. Il faudra revoir les conventions collectives.

— Cela ne se reproduira plus, regarde, je t'ai trouvé une protection rembourrée. Elle est légère, élégante, en plastique noir façon croco…

Meunier. Pas besoin d'être météorologue pour le prévoir, Meunier. La première fois qu'il est entré dans mon bureau, j'ai découvert un enfant en costume de vieux. Il avait une grosse tête de poupon qui surmontait une cravate laide mais sombre, une chemise médiocre mais blanche et un costume mal taillé mais gris. Il sortait tout droit de l'école et il se retrouvait en face de moi pour m'auditer. Il avait été envoyé par les cadors du groupe qui venait de me racheter, pour faire clair dans des comptes transparents — si transparents qu'on voyait à travers. Je sortais énervé d'une méchante campagne où quatre livres à succès de suite n'en avaient pas eu et où deux best-sellers de l'été s'étaient révélés être des bad-sellers. Mes comptes étaient en dentelle. J'avais envie de lui foutre mon pied dans le derrière, curieusement, mais je l'ai trouvé intelligent sous sa grosse couche de connerie. Je me souviens que je me suis même décidé à lui expliquer des choses, pour qu'il comprenne, pour qu'il lève le nez de ses comptes.

Une semaine plus tard, après avoir travaillé jusqu'à des dix heures du soir, il entre triomphant dans mon bureau et me dit :

— J'ai trouvé la solution à votre problème, Monsieur Dubois !

Il a agité quelques papiers et m'a annoncé :

— Il suffit que vous supprimiez tous les livres qui ne se vendent pas à 15 000 exemplaires et vous êtes à l'équilibre. Vous pouvez même dégager un profit dès la première année avec deux licenciements.

Curieusement encore (je n'ai jamais cessé de m'étonner avec Meunier, c'est dire si je suis fort en hommes), je ne l'ai pas giflé. Après un long silence, j'ai ouvert le tiroir de droite de mon bureau et je lui ai tendu le programme de l'année.

— Génial, Meussieu Meunier. Voici le programme de l'année. Voulez-vous avoir l'obligeance de pointer tous les livres qui ne feront pas 15 000 et je serai ravi d'y renoncer.

Il a sérieusement parcouru la feuille, comme un bon élève et il a renoncé.

— C'est difficile, a-t-il reconnu. Je ne connais pas tous les noms.
— En général, voyez-vous, c'est *après* que l'on sait si le livre a fait 15 000, même quand on connaît les noms. Ce sont les acheteurs qu'il faudrait connaître.
— Il suffit de faire une étude de marché préalable.
— Vous savez combien coûte une étude de marché, Meussieu Meunier ? Ne cherchez pas. Trois fois le prix d'un livre. Alors on a pris la fâcheuse habitude de faire des livres pour voir comment marchent les livres. Cela se nomme l'édition et il se trouve que c'est mon métier.

Pendant quelques jours je l'ai vu errer dans les couloirs, la cravate dénouée, puis bientôt dans la poche, les connexions cérébrales en action, tentant par tous les moyens de faire coller des morceaux incollables. J'avais mis le ver dans le fruit. Ensuite, il y a eu Geneviève et la nuit des longs baisers, et il était foutu. C'est une grande bringue qui écrit comme une folle tout le jour et avale des jeunes gens le soir pour se régénérer. Elle lui a raconté les beautés du métier d'écrire, ses douleurs, ses charmes. Elle a froissé ses draps de la belle façon. Il a fait une quantité hallucinante de trouvailles en quelques semaines et il a pris le virus. L'édition est sexuellement transmissible. Nous y reviendrons. Depuis, il me traîne dans les pattes. Il a renoncé à un salaire de fou chez Price, Waterhouse and Cooper's, et il a décidé de faire l'éditeur avec la bénédiction du grand capital qui m'honore de ses pingreries. Il m'énerve.

De temps à autre, quand il me gonfle trop, je demande à Geneviève de me le débrancher. Elle fait ça pour moi, parce que sinon elle préfère le changement. Elle me l'embarque quelques jours, me l'emprisonne dans ses grandes jambes, me le remet dans l'axe éditorial, lui inflige deux ou trois séances d'écriture silencieuse. Elle est dans la chambre devant son ordinateur, elle écrit un roman d'amour et il ne doit bouger ni queue ni tête tant qu'elle n'a pas fini.

— Tu vois, petit con, lui dit-elle, c'est facile de dire non en trois secondes à un auteur, facile de se moquer même de son travail, mais il faut que tu saches comme c'est long et comme c'est emmerdant de faire un livre. Même un mauvais. Surtout un mauvais.

Et il nous revient meilleur, plus décontracté, plus souple, plus éditeur. Elle est magique. Pour cette raison, je ne refuserai jamais un manuscrit de Geneviève et elle aura toujours sa pub dans *Elle* à la sortie de ses livres. Elle adore se voir en photo dans les journaux féminins. Là, je trouve que ça fait un peu longtemps qu'elle n'est pas passée. Il va falloir que je l'emmène au Tilbury.

— J'ai lu le manuscrit que Boudon nous a filé. Il raconte l'histoire d'un mec qui rencontre une fille. Le mec est marié et la fille a un copain… Le sujet est pas mal, mais alors je sais pas ce qui a pris Boudon de nous passer ça, c'est écrit avec des queues de pelle, des cheveux blonds comme les blés, des yeux bleus comme la mer… Tu vois le genre.

Meunier est resté très jeune dans le métier. Il adore éreinter. Chacun sa façon de perdre son temps. Il y en a tant à dézinguer des mauvais manuscrits, qu'il vaut mieux faire des économies de salive.

— Ce qui est bien avec les tablettes, c'est qu'on pourra prendre des risques sur des textes comme ça. Des tas de nouveaux lecteurs vont se ruer.

— Moi, si je savais m'en servir, je préférerais regarder des films sur ma tablette. Elle ressemble quand même bien plus à une télé qu'à un livre. Une bonne petite série que tu te regardes en mangeant à la cantine, dans ton bus, aux toilettes. *The Wire, Desperate publishers.* Tu peux même les voir en hébreu sous-titré chinois…

Sabine entre en rousse dans mon bureau.

— Vous me foutez Meunier dehors, chef, nous avons du vrai travail à faire. Allez, ouste ! Quelle plaie celui-là. Non seulement il ne fait rien, ce parasite, mais en plus il vous empêche de travailler. Ce matin, dans son bureau, devant son petit miroir, je l'ai surpris en train de se peigner les sourcils ! Hier soir il engueulait les stagiaires parce qu'ils quittaient le bureau à sept heures ! Ils sont même pas payés les mômes, c'est un comble. Un jour, je le ferai pleurer.

— En attendant ce grand jour, on fait quoi ?

— J'ai les chiffres. On est mal.

— Plus que d'habitude ?

— Regardez les retours. C'est le déluge. On envoie dix camions de livres le matin sur les routes de France et on en reprend six et demi le soir. Ça a quel sens ?

— Une bonne partie du travail de l'édition consiste à brûler du gazole. Tu es au courant, depuis le temps…

— C'est de pire en pire. Vous n'allez pas me dire que ces livres ont leur chance sur la table des libraires ? Ils passent dessous et ils rentrent directement. Faites pas semblant de ne pas regarder les chiffres, c'est agaçant. Vous voulez un carré de chocolat noir ?

— Nous avons vidé les livres de ce qu'il y avait dedans pour en vendre davantage et nous n'en vendons plus. Tout est de notre faute.

5

— Entrez, entrez, j'ai reconnu vos doigts de
souris sur ma porte, stagiaire du soir ! Asseyez-
vous.

— Je voulais juste savoir si ça avait bien marché avec la liseuse ce week-end, si vous vous en
étiez sorti.

— Jusqu'à ce que j'oublie de la brancher, parfaitement. Ensuite, les choses se sont compli-
quées. J'ai essayé de la secouer, de lui souffler
dessus. J'ai même tenté de donner un coup de
tête dedans, regardez mes plaies. Rien n'y a fait.
Je suis resté dans le noir. De cette façon, la liseuse
est assez reposante, je dois le reconnaître.

— C'est sûr que les livres en papier, on les
branche pas. Je les aime bien, moi, les livres, il
faut pas croire. Même moi. J'en ai toujours un
dans la poche, mais après, je les abandonne dans
le métro parce que je n'ai plus de place dans ma
chambre.

— Comment vous appelez-vous ? Une pensée
comme celle-là mérite d'avoir un nom d'auteur.

— Je m'appelle Valentine. Valentine Tijean. Et vous, vous vous appelez comment, si c'est pas indiscret ?

— En général, je réponds à Robert Dubois.

— Robert Dubois ! Vous vous appelez comme la maison d'édition ! « Les éditions Robert Dubois » ! Ça doit faire drôle de s'appeler comme la maison.

— On s'habitue.

— M. Meunier doit s'en amuser.

— En général, lui, il m'appelle Gaston, c'est ça qui l'amuse.

— Pourquoi Gaston ?

— C'est une trop longue histoire.

Elle se tient assise sur le canapé de cuir de mon bureau, genre Chesterfield. Son genou gauche est à l'air et je peux constater qu'elle n'y porte plus de sparadrap ni de croûtes. Cela ne doit pas faire très longtemps. Aux pieds, elle chausse des Doc Martens à fleurs. Elle est juste à la mode de l'année dernière. Elle me plaît. Elle ne sait rien, elle a envie de tout, elle est l'avenir de ma profession.

— Dites-moi, vous devez être au courant, vous, on les planque où, tous ces fameux stagiaires, dans la maison ? Il paraît qu'on en a une classe entière et je ne les vois jamais. À part vous, bien sûr.

— On est toujours cinq ou six, mais ça tourne. Des Normale sup et des Sciences-Po en général. On ne voit quasi jamais de matheux et les épiciers cherchent plutôt les CAC 40, au cas où il y aurait du taf.

— Pas beaucoup de risque d'en trouver par ici, en effet !

— Oui, mais c'est marrant l'édition. On peut lire des livres neufs et puis on rencontre des auteurs quand ils viennent signer.

— Ils sont moins marrants que les chanteurs, non ?

— Moi, c'est les guitaristes que je préfère. Les « guitar heroes ». Mais j'aimerais bien rencontrer Jean-Marie Le Clézio.

— Vous pensez que vous pourriez m'organiser une petite réunion avec vos collègues, un de ces soirs ? Un petit truc entre nous, ici, dans mon bureau.

— Pas difficile.

— Merci. On fera ça un peu tard, le soir. En attendant, tenez. Prenez ce manuscrit, un vieux de la vieille en papier de 80 grammes. Lisez-le et dites-moi ce que vous en pensez.

— Mais je ne suis pas lectrice…

— Mon petit doigt me dit que vous avez quand même appris à lire. On ne sait jamais.

Le soir, je gagne du temps : je ne regarde plus les vitrines du quartier, de toute façon on n'y voit plus un livre et je n'entre plus dans les vestes étriquées et les souliers pointus. Je gagne du temps : je ne prends plus de pot avec les collègues avant de rentrer, de toute façon on se dit qu'on publie trop de livres inutiles, qu'il faut arrêter, et on en fait tous dix pour cent de plus chaque année. Je gagne du temps : je ne dîne plus en ville parce que je n'ai plus faim de ces dîners-là.

Malgré sa housse, ma tablette flotte dans mon cartable, je la sens contre ma jambe. J'ai du mal à m'en séparer, de ce cartable, parce qu'il y a un livre de poche à l'intérieur, corné (*Les Saisons* de Maurice Pons, pour me punir de l'avoir raté), un livre blanc comme ceux que j'avais offerts à mes auteurs pour Noël il y a dix ans, un stylo-plume Sheaffer et mon Laguiole avec tire-bouchon. Je ne m'en sers jamais, mais je me dis toujours que je pourrais m'en servir. Un jour de fin du monde, peut-être ? Le jour du grand pique-nique général ? En douce, quand on m'aura confisqué mon couteau de table pour cause de gâtisme ? Un prochain jour, les gens auront peut-être un livre en douce, comme j'ai un couteau. Inutile et rassurant. Avec un tire-bouchon. J'habite à 788 pas de mon bureau ce soir.

Adèle aime ma tablette. Elle me la confisque pendant que je coupe des pommes de terre pour un gratin ; j'y ajouterai de la crème et quelques cèpes qui feront viande. Adèle a trouvé les jeux. J'entends des petits pfft pfft chaque fois qu'elle fait exploser une paire au mahjong. Ensuite, elle recharge fidèlement, le temps du repas. Elle me dit qu'elle en a marre des journalistes. Adèle m'a toujours dit qu'elle en avait marre des journalistes. Elle ne doit plus vraiment aimer son métier. Moi, j'étais prêt à tout faire dans l'édition, n'importe quoi, sauf attaché de presse. C'est pour cette raison que je l'ai épousée. À nous deux, nous sommes un éditeur complet. Pas dans la même maison, ce qui est sage, mais complet. Ce soir, on boit du vacqueyras pour fêter éternellement la fête.

Dans la nuit, j'entends la rumeur discrète du boulevard. Dans la maison éteinte, je devine la lueur des réverbères. Adèle tousse éternellement dans son sommeil, peut-être rêve-t-elle à Bernard Pivot ? La tablette est posée sur mes genoux, je suis en train de lire l'histoire d'un mec qui rencontre une fille et j'ai soudain besoin de m'assurer d'un mot dans le dictionnaire. Il est caché lui aussi dans le ventre de la machine. Le Nano Robert. Le cherchant, je trouve, par hasard, la télé. Une vraie télé, grosse comme un livre que je tiens entre mes mains. Je la regarde dans la nuit, mon visage éclairé par le visage de Juliette Binoche. Elle est sur le point de se faire violer par un loup-garou. Je ne peux pas la laisser tomber là... Et si j'arrêtais définitivement de lire ?

Le matin, par sa faute, j'ai à la fois sommeil et du travail ; je n'ai rien fichu de la nuit. Adèle fume sa première cigarette à la fenêtre, il bruine et je finis mon café en me rasant, ce que je trouve assez risqué. La scène me fait penser à une semblable dans un bouquin que j'ai publié il y a longtemps et dont j'ai oublié l'auteur et le titre et puis ensuite à Antoine Doinel amoureux de

Mme Tabart, devant son miroir, même si je dois reconnaître que je suis sérieusement plus tapé que Jean-Pierre Léaud. Le café refroidit et, mélangé avec l'odeur du savon à barbe, il a un goût dégueulasse.

Mon téléphone tremblote sur la table. C'est le premier SMS de Meunier. Il m'annonce que le manuscrit de Robert Coover est arrivé des USA et qu'il faut prendre une décision très vite. Il est à peine huit heures et le bureau m'a déjà saisi aux chevilles. La matinée commencera donc par une lecture. J'aime bien Coover, il m'énerve. Il fait partie de ces auteurs qui empêchent de lire en rond. On n'en vend pas, mais je l'aime bien quand même. Je suis certain que Meunier croise les doigts pour que je le refuse. Je vais le prendre.

Je me souviens que quand j'ai rencontré Adèle (elle ressemblait à un petit chat noir à l'époque) et que j'étais encore un tout jeune éditeur, je lui ai expliqué que si un jour je publiais un livre que j'adorais, écrit par un auteur délicieux dont j'aimais passionnément le travail, si ce livre recevait les meilleures critiques, s'il était traduit en six langues et devenait un vrai succès de librairie, j'arrêterais aussitôt le métier.

Tout ça m'est arrivé au fil des saisons, mais jamais à la fois pour le même livre. Je continue.

Ce matin, mon bureau est à 749 pas de chez moi.

6

Le manuscrit de Coover est posé sur mon bureau. Une blanche main a repoussé les papiers de part et d'autre pour le placer bien en évidence, au cas où il me prendrait fantaisie de l'enfouir sous une de mes piles, mes tours de Pise, mes Abou Dhabi. J'ai soudain une vision de ce que sera mon bureau un jour prochain : rien. Un petit écran noir posé à plat sur une belle planche en loupe de noyer. Des étagères vides point encore démontées. Pas d'autre odeur que la mienne. Peut-être quelques photos rétro de livres sur les murs ? Des Kertész ? Des pin-up en chignon choucroute faisant semblant de lire un Livre de Poche ? Plus de canyons de manuscrits, plus de pile de courrier posée sur le clavier de l'ordinateur. Des post-it de Sabine : « penser à ne plus commander de papier », « penser à ne pas passer chez l'imprimeur », « penser à aller à l'enterrement du brocheur », « penser à ne pas corner la page », « penser à ne pas balancer le livre contre le mur, même s'il est très mauvais », « penser à garder un vrai bouquin en douce dans un tiroir avec une bougie en cas de panne », « penser à être le contraire de vous-même ».

Mon fauteuil grince, je balance les pieds sur une pile de *Monde des Livres*. Le Coover. Un recueil de nouvelles. Voilà qui fera encore plus plaisir à Meunier, il pourra me refaire sa théorie sur l'invendable. Je plaiderai la cause de Coover en insistant sur son appartenance à l'« Electronic Literature Organization ». Un homme d'avenir, un postmoderne moderne. Déjà primé, ça rassure Meunier. Il est comme Roger, mon boucher normand, qui adore les bœufs primés. Il affiche des cocardes plein sa vitrine.

Je ferme les écoutilles. Sans rien voir au-dehors, sans entendre aucun bruit, je lis. Coover est un écrivain difficile, il faut se glisser dans son armure, ce qui occasionne quelques ampoules et quelques gênes aux entournures et puis ensuite, c'est le grand confort inconfortable d'une vraie lecture.

Ce n'est peut-être pas la littérature que je préfère, mais c'est celle devant laquelle mon esprit critique s'arrête. Il est hors de question de ne pas le publier. Il faudra au moins Hoepffner ou Pétillon pour le traduire. « Il va nous coûter encore combien, celui-là ? » En mettant de l'argent dans ce qui était « ma » maison, les Meunier y ont introduit la guerre. Le jeu de la guerre, au moins. Comme je suis celui qui a déjà perdu et qui, de toute façon, perdra tout à la fin, on me laisse le droit d'accumuler quantité de petites victoires locales. Les rôles sont distribués et le manche du poignard dépasse déjà de mon cœur. En attendant, je publie de bons livres qui vivent quelques heures, dont quelques-uns s'endorment dans les grandes bibliothèques et dont la majorité retourne au papier. En attendant de retourner un jour aux pixels. À quoi ressemblera le pilon des liseuses ? J'ai toujours préféré les livres à l'argent, hélas.

Je saisis Meunier à la gorge. À peine a-t-il passé le nez par ma porte que je hurle :

— Génial, le Coover ! Une merveille. Ils vont faire la gueule chez Maminard quand il va leur passer sous le nez. Tout de suite il faut lancer l'option, le contrat, la traduction. On obtient la Une de *Libé* avec ça. Le journal de vingt heures ! Ébouriffant ! Un diamant.

— Et on en vend combien ?

— Ça, mon vieux, demande à Meunier ! S'il est bon, Meunier, il en vend un wagon. N'est-ce pas, Meunier ?

— Fais voir… Des nouvelles ? On en reparle plus tard. Il faut que tu viennes tout de suite.

— Où ça ?

— Tu sais très bien que c'est le pot de départ à la retraite de M. Marcel et de Mlle Mathilde, après quarante ans de déloyaux services.

— Ce n'était pas demain ?

— Le plus tôt sera le mieux.

On reconnaît tout de suite Mlle Mathilde. Il s'agit de la vieille dame qui se tamponne les yeux à l'aide d'un minuscule mouchoir brodé. Elle renifle et rougit. Elle n'était pas très gaie Mlle Mathilde, je l'avais recrutée un jour de déprime sans doute, mais elle était une bonne comptable de l'ancienne école, celle où on dressait une colonne avec l'argent qui entrait d'un côté et une avec l'argent qui sortait de l'autre et où on s'arrachait les ongles d'inquiétude lorsqu'il y avait le moindre écart entre les deux. La moquette de la maison est pleine des larmes de Mlle Mathilde. Elle ne séchera jamais. Elle aurait tellement voulu que la première colonne soit plus longue que la deuxième ! Tout le personnel est là autour d'elle et elle pleure un dernier bon coup sur l'édition française et sur le pauvre M. Dubois. Meunier est au garde-à-vous, encadré par ses clones dont les dents brillent parce qu'ils vont enfin pouvoir récupérer un bureau. Valentine se tient un peu à l'écart, elle m'adresse un clin d'œil de copine et me désigne du menton ses acolytes stagiaires. Ils ont mis le grappin sur les cacahuètes, ils ont faim. M. Marcel, le chef magasinier emballeur déballeur (une valeur sûre de la profession, son avenir à cours terme), est certain de son fait. Tout cela n'est qu'un moment à passer avant de rejoindre les hauts lieux de la pétanque et du pastis où commence la vraie vie. Son sourire est déjà tourné vers d'autres horizons.

Pour faire bonne mesure je leur assène un interminable discours dans lequel se mêlent les souvenirs des grands moments, l'évocation des grands auteurs, les soirs de liesse à la brasserie du Lutétia lorsque l'un d'entre eux passait à « Apostrophes », le best-seller pour lequel nous avions dû acheter du papier chez nos concurrents tant il se vendait vite, les charmes inouïs de la profession, les charges inouïes de la profession, le jour où Mlle Mathilde avait fait une erreur de calcul, le jour où M. Marcel était allé chercher Jean d'Ormesson en voiture au château de Blois, les trois grosses années aussi où Mlle Mathilde avait dû me faire signer, à son corps défendant, des chèques de prime de fin d'année tant nous avions gagné de bel argent. Je passai habilement sous silence le débarquement massif des hommes en gris qui avait conduit Mlle Mathilde à la tremblote et au Prozac, et je terminai dans un tourbillon de joie en évoquant ces moments où Mlle Mathilde partageait avec M. Marcel son bocal de cornichons à l'heure de la pause. Nous bûmes, nous mangeâmes et certains partirent en retraite. « Ouf », fit sobrement Meunier.

À la fin des agapes, je fais signe à Valentine de me suivre jusqu'à mon bureau.

— Vous êtes bien élégante. C'est la première fois que je vous vois en jupe et en cardigan. Vous allez au moins dîner avec Meunier ?
— Presque !
— Si ce n'est lui, c'est donc son clone.
— Touché.
— Vous allez vous marrer… Je voulais juste

vous dire quelque chose de très urgent. Vous avez commencé à lire le manuscrit que je vous ai passé ?

— Oui, mais…

— Pas de pression, lisez à votre rythme, mais je voulais vous parler de deux choses qu'il faut savoir quand on lit pour le travail : il faut apprendre à lire et à juger ce que l'on n'aime pas. Un lecteur ordinaire peut jeter son livre avant qu'il soit trop tard, l'abandonner dans le métro, mais pas vous. Vous devez refermer le manuscrit calmement et le reposer sur la pile sans humeur. L'autre chose est une petite imagination indispensable : il faut se faire une idée de ce que le passage au livre fera subir au texte. D'un coup, une fois imprimé, le texte va devenir solide, pour certains l'effet est magique, pour d'autres moins. Cela ne vous servira à rien pour organiser des concerts, cela ne servira sans doute à rien aux éditeurs de demain, mais il fallait que je vous le dise avant de partir en retraite ce soir, ou un prochain soir.

7

Du coin de l'œil, je surveille Geneviève, assise en face de moi dans le train. Je fais semblant de lire un manuscrit sur ma tablette cependant qu'elle ne semble occupée à rien. Je sais qu'elle ne me dira pas un mot jusqu'à notre arrivée à destination. Chaque fois que je l'accompagne en province pour une signature, le même scénario se répète. Son regard est plongé dans la campagne pour ne rien y voir, sa tête épouse les mouvements du train, parfois elle ferme un instant les paupières et inspire profondément comme une sportive. Elle est vêtue d'un tailleur mauve et d'un corsage blanc avec broche en or qui ne lui ressemble pas le moins du monde, mais qui ressemble parfaitement aux ménagères de plus de cinquante ans qu'elle va devoir séduire tout à l'heure. Elle se donne chaque fois la durée du voyage pour remonter son ressort. J'apprécie ces excursions qui commencent toujours par deux bonnes heures de silence en hommage à la librairie française.

Geneviève est de la race des Signeurs. Elle ne rate pas un salon, pas une rencontre, pas une librairie de plus de vingt mètres linéaires de rayons.

Celle-là, de librairie, est immense. Une cathédrale de bouquins sur trois étages, une phalange de vendeuses en ticheurtes rouges, des BD, de la cuisine, des nouveautés — une pile des miennes, bien en avant, puisque je suis de passage —, des livres de voyage, du frileur et, dernière fureur, un vaste rayon de chick-lit. Le quantitatif est le mode de survie numéro un des librairies de province. Le numéro deux, c'est le bistrot. Celui-là est en plein milieu de la maison, c'est un vrai bistrot en dur avec du carrelage, des guéridons et un rayon gâteaux.

Les lectrices sont là. Je me cache parmi elles, à peine reconnaissable à mon ballon de rouge, et Geneviève fait son entrée. On lui tend un micro, elle se met à parler et ne s'arrêtera plus. Elle accepte de répondre à tout et d'abord « oui, mon livre est totalement autobiographique » (comme si le réel était le garant de la qualité des livres). Elle a le secret pour garder les maris, elle qui n'en a pas, elle compare les bonheurs des vaginales et des clitoridiennes, elle tient de sa grand-mère une recette un peu différente du far breton, la course à pied, selon elle, fait plus mal aux genoux que le ski de piste, élever des enfants est une aventure humaine, la littérature de demain sera lisible ou ne sera pas, la légèreté est une élégance, le style, c'est la femme et elle le prouve, le fromage de chèvre est moins riche que le camembert, les livres de Janine Boissard sont pas mal, oui, incontestablement Balzac et Maupassant, forcément Simone de Beauvoir, on peut lire en regardant la télévision, je suis d'accord avec vous, la télé-réalité n'a pas l'air si réelle que cela, rien ne vaut un bon livre des éditions Robert Dubois acheté chez votre libraire chéri.

Je l'admire, Geneviève. J'admire les lectrices qui viennent chaque semaine demander à l'auteure de passage si son livre est bien autobiographique. Et Geneviève signe et signe. C'est comment votre prénom ? Et votre mari ?

Est-ce pour ces lectrices-là que je travaille — objectivement oui —, mais n'est-ce pas plutôt pour une sorte de lectrice idéale que je fantasme et dont le modèle est fourbu ? J'admire sincèrement Geneviève qui jour après jour dévalorise son travail, car elle vaut vingt fois mieux que ce qu'elle prétend valoir. C'est un vrai écrivain, Geneviève, je ne la publierais pas sinon, mais elle a renoncé depuis très longtemps à le dire. Là-dessus, la vie lui a appris à faire silence.

Une jeune fille timide s'approche de moi, les mains cachées dans le dos. Je devine : elle a écrit un manuscrit et elle voudrait bien profiter de… C'est l'histoire d'un garçon, vous comprenez, qui rencontre une fille… À chaque voyage son butin.

Le libraire est parti à une réunion de famille, les lectrices sont rentrées au bercail, Geneviève est montée un moment dans sa chambre. Je l'attends sur le canapé du lobby, feuilletant, sans le lire, le manuscrit de la jeune fille. Je me sens loin du bureau, loin de Paris, mais suis-je pour autant plus proche de quelque chose d'autre ? Je téléphone à Adèle qui s'éclaircit la voix pour me dire qu'elle me trouve bien courageux de faire encore la tournée des popotes. Je lui réponds que je ne vois pas de quoi elle parle et je lui récite un quatrain de circonstance que j'ai composé mentalement pendant la rencontre :

> *Rue de Siam au soleil*
> *On remue la terre et le ciel.*
> *Barbara, rue de Siam*
> *On te construit un tram.*

Geneviève sort de l'ascenseur dans un grand remuement de clefs. Elle est redevenue elle-même. Elle porte un pantalon, des talons, un pull mollasson qui est une vraie vitrine à nichons, une veste baroque, des glinglins partout qui brillent et tintent. Elle est maquillée, ses cheveux sont dressés sur sa tête. Elle est immense, colorée, bruyante.

Elle me prend par le bras et m'entraîne, elle veut ab-so-lu-ment aller dîner sur un bateau qu'elle connaît où on mange des soles épaisses comme *L'Étranger* de Camus.

— Moi, tu sais, les bateaux…
— Il ne te fera rien, celui-là, il a un cul de plomb et il ne peut ni couler ni flotter. Vieux terrien !

— Tu as été parfaite, à la librairie.

— Ne me fais pas chier, veux-tu.

Nous marchons le long des quais. La nuit tombe et, dans la demi-pénombre, elle me raconte l'histoire fantastique du gros bouquin de Châteaureynaud qu'elle est en train de lire et qui la met en joie.

Je l'écoute, mais ce qui m'étonne, c'est que nous soyons seuls tous les deux. Cela fait bien longtemps. D'ordinaire, elle embarque toujours un jeune libraire avec nous, un journaliste. Je me dis qu'un jeune marin en blanc pur, façon Querelle de Brest, ferait bien dans le paysage ce soir.

Le bateau est effectivement joli. Il ne roule ni ne tangue. Il sent le vieux bois, le poisson frais et le beurre chaud. Geneviève doit baisser sérieusement la tête pour ne pas se cogner. Elle exige du muscadet et des bigorneaux à bricoler avant la sole. Je choisis une douzaine d'huîtres creuses et une morue cuisinée avec des lentilles et des petits lardons.

— Tu écris en ce moment ?

— Toujours. Je suis un pommier, je fais des pommes.

— La sève monte ?

— Je le pense.

— C'est un mystère ?

— Non, ce sera un livre. L'histoire d'une jeune fille qui rencontre un homme…

— Tu vas avoir du mal à faire croire à l'auto-
biographie !

— Goujat ! Tu sais très bien ce dont je suis
capable et tu sais très bien ce que mon livre sera.

— Qualité Geneviève. Tu veux une huître ?

— Je suis bien ici, seule avec toi. C'est un joli
soir.

8

— C'est une bien jolie sole aussi que voilà.

— Je veux que ce soit toi qui me la prépares.
J'ai toujours adoré te regarder cuisiner. La façon
dont tu touches les aliments me donne faim. Je
vais te regretter, Robert.

— Comment ça, tu vas me regretter ?

— Je voulais te dire que ce livre auquel je travaille, je vais le donner à Brasset. Il a des côtés
nanar, comme éditeur, je le sais, mais il est plus
proche que toi de la télé et j'ai besoin de mettre
un pied là-dedans.

— Tu représentes vingt pour cent de mon
chiffre d'affaires à toi seule, tu le sais.

— Et toi, cent pour cent de mon revenu. J'ai
besoin de gagner plus d'argent.

— Je te laisse les petites arêtes sur le rebord
de l'assiette. Tu pourras les sucer, elles sont plei-
nes de beurre.

Valentine est si excitée qu'elle en bafouille.

— J'ai fini de lire le manuscrit et c'est bien. Je me suis appliquée à faire comme vous m'avez dit, à lire ce que j'aime pas, mais j'aime vraiment. J'ai peut-être tort, mais l'histoire est touchante. L'héroïne est une fille qui rencontre un garçon…

— Ne va pas plus loin, je connais la suite.

— Vous l'avez lu ?

— Plutôt cent fois qu'une. Je te fais confiance. Tu penses que c'est bien écrit ?

— En tout cas on tourne les pages. Qu'est-ce que vous allez faire ?

— Rien… Toi, tu vas téléphoner à l'auteure pour lui dire que son manuscrit est pris.

— Mais je ne sais pas faire ! Je suis stagiaire.

— Il paraît que ce sont les stagiaires qui font tourner l'édition française, alors tourne !

— Elle ne va jamais me croire.

— Tu lui expliques que tu es stagiaire, que tu es en formation « bonnes nouvelles » et que tu es chargée de faire ce qu'il y a de plus joli dans le métier. Ne mesure pas ton enthousiasme. Si elle donne son manuscrit ailleurs, je te tords le cou.

— Elle va vouloir un contrat, une lettre, je ne sais pas.

— Elle aura tout cela. Mais d'abord, une bonne nouvelle de Valentine.

Pendant que je lui parle, je caresse ma tablette, éteinte, posée sur le bureau. Je me surprends parfois à le faire. Je lui trouve un toucher de chocolat noir.

— Au fait, comment s'est passé ton dîner avec le clone ?

— Ça raye.

— Ça quoi ?

— Ça raye les dents, le parquet. Mais je dois reconnaître qu'il connaît bien le rock allemand.

— Il t'a raconté des trucs ?

— J'ai pas tout compris, mais il a l'air de tramer dur avec Meunier.

— Pour tramer, je leur fais confiance.

— Vous l'aimez bien, Meunier ?

— Ai-je le choix ? Tu vas le revoir ?

— Oui oui, on va au concert samedi.

— En tout cas je te préfère avec ta jupe à pois orange et tes bas bleus qu'avec ton tailleur mémère. Tu te ressembles.

— Bon, je vais téléphoner. Comment on s'adresse aux auteurs ?

— Par leur nom. Globalement, ce sont des êtres humains.

— Même Easton Ellis ?

Pour le coup Balmer est bien là, cette fois. Il est assis à ma table, sa serviette déjà tendue sur sa bedaine, l'air réjoui et malin. Il a la même tête que ses textes. Il est en grande discussion avec Mme Martin. Son iPhone est posé sur la nappe et il garde la main dessus.

— Fais attention, si tu te laisses embobiner, elle va te refiler son immonde canard à l'orange, et si tu manges ça devant moi, je divorce.

— Je te préviens, si on divorce, je garde les enfants.

— Bon débarras.

— Si je prends des poireaux vinaigrette et du petit salé, tu paies quand même l'addition ?

— Je suis d'accord pour les poireaux, mais je prends une sole en suivant. J'ai besoin de me réconcilier avec la sole. Pour ce qui est de l'addition, je n'ai pas vraiment le choix. Brouilly.

— C'est une suggestion ?

— C'est un ordre. Alors comment tu vas, cyber-auteur ?

— Je t'assure que je me régale. Pendant que vous vous crevez la tête et le portefeuille à trouver le moyen de vendre vos vieux romans en ligne sans fâcher les libraires que vous finirez par tuer de toute façon, nous, on bricole de nouveaux trucs qui se glissent tout seuls dans les petites machines.

— Oui, mais toi, tu es le roi de la contrainte.

— Le prince de la liberté, mon cher.

— Mais les autres ?

— Les autres feront pareil ou feront comme avant. Il y aura toujours du papier, toujours de l'écran. Les pages ne se tournent pas d'un coup sec.

— Et tu fais quoi au juste ?

— Top secret ! Gros malin. Tu n'imagines pas que je vais te déballer mes projets ! Détends-toi, les poireaux sont bons.

— Je ne sais pas ce qu'elle met dans sa putain de vinaigrette. Depuis le temps, je devrais. Tu fais quand même ton bouquin ? Tu ne me laisses pas en rade, je le veux pour la rentrée.

— Tu l'auras. Je sais encore faire les vieux bouquins comme tu aimes. J'ai bientôt fini.

— J'ai envie de te lire.

— Moi, il y a un truc que je n'ai pas envie de faire, c'est de signer ton contrat. Je n'ai pas l'intention de brader mes droits électroniques. Ceux que tu n'es pas foutu de vendre mais que tu veux me voler pour deux liards le pot.

— C'est Meunier.

— Je m'en tape, Meunier ou toi, ce que je sais c'est que vous me faites les poches. On ne peut pas dire que l'imagination est au pouvoir, reproduire les droits papier c'est vouloir que rien ne change alors que tout change à vue. Vous êtes un peu pathétiques pour des gens de création. Vends-moi deux cent mille exemplaires en papier et ensuite nous verrons.

— Ne signe pas. Raye le paragraphe et garde tes droits. Tu penses qu'ils vont se faire éditeurs, tes cyber-héros ?

— S'ils mettent du texte à la disposition du public, ils ne devraient pas en être loin.

— Je voudrais une faveur : j'aimerais que tu me découpes ma sole.

— Tu as mal aux mains ?

Balmer est le plus talentueux de tous. Talentueux pour tout. Il invente avant d'écrire et quand il donne l'impression d'être dans l'improvisation, il est, en fait, dans la vraie réflexion. Il est un modèle d'auteur parfait, adaptable, intransigeant, absolument semblable et tout à fait pas pareil. Capable d'entendre toutes les critiques et d'en faire son miel. Un inventeur de formes et de fonds (lesquels se touchent, n'est-ce pas ?). C'est exactement pour lui que je fais ce métier. Il me rend fier de moi. Je le publie depuis douze ans maintenant et le public vient soudain de s'en rendre compte. Ce matin il est hirsute ; sans doute n'est-il pas encore vraiment levé. Il jette un coup d'œil inquiet sur son téléphone, se demandant laquelle de ses amoureuses va lui tomber dessus la première pour le convoquer. Il est également le seul homme de la place assez intelligent pour découper ma sole sans poser de questions. Il fait ce petit travail comme un sagouin, par ailleurs. Il veut s'assurer que j'ai bien lu la chronique parue dans *Le Monde* sur son dernier bouquin.

— Je l'ai lue.

9

J'ai décidé de sortir ma liseuse en ville, je veux lui faire affronter la vie.

Elle commence par rater en beauté le test de la poche. Elle est trop grande pour la poche de côté de ma veste, elle n'est pas assez souple pour être forcée dans la poche taillée en biais de l'imperméable, il est illusoire de vouloir la glisser dans la poche portefeuille du veston. Quand bien même serait-elle plus petite qu'elle me ferait un pectoral de rétiaire et que ses bords vifs en viendraient fatalement à creuser leurs trous dans la doublure. Ignorons les poches de pantalon : le poids de l'engin vous exposerait à vous retrouver debout sur le trottoir, en caleçon à fleurs, le pantalon tirebouchonné autour des chevilles. Sauf à porter d'imposantes bretelles… Qui dit « bretelles » pense holster. Peut-être le modèle police rectifié pourrait-il faire l'affaire ? Il faut cependant reconnaître que la forme de la liseuse est un peu plus géométrique que celle du Police Python. Voici un problème à poser à M. Hollington, mon tailleur, spécialisé dans les vêtements architecto-éditeurs bien pourvus en poches pour pipes, téléphones portables, cigarettes, doubles décimètres, crayons et stylos de toutes tailles, sans oublier les flasques. Mais pour l'heure, reconnaissons que la liseuse est malcommode et qu'il nous faudra ressusciter un vieux génie de l'édition pour réinventer la liseuse de poche en même temps que le fil à couper le beurre.

Le test de la lecture au square, en revanche, est passé avec succès. Je me glisse entre les vitrines d'Arnys et la terrasse du Récamier, autrefois restaurant d'éditeurs, aujourd'hui passé à la politique et aux tarifs en conséquence, pour m'installer dans le petit square du fond de la rue, à l'abri des immeubles et du bruit. La liseuse sur le genou croisé, la liseuse tenue à deux mains, la liseuse à une main, la liseuse posée sur le banc (corps 18), la liseuse à l'ombre du platane, tout marche. J'imagine que si un des innombrables pigeons qui chient sur Paris vise l'écran, il ne fera pas plus de dégâts que sur un livre — peut-être même moins. Prévoir un paquet de mouchoirs en papier. Je guette le passage d'un rayon de soleil entre les immeubles, lorsqu'il se pointe fugitivement, je me place de façon à ce qu'il frappe l'écran. La guerre des lumières est perdue d'avance. Même en poussant l'intensité à fond, rien à lire. Mais qui lirait Baudelaire en plein cagnard ?

Lire au restaurant doit être plus facile en province qu'à Paris et plus facile dans certaines parties de la rive droite qu'à Saint-Germain-des-Prés. Le rapport entre l'exiguïté des tables et le diamètre des assiettes rend souvent la pose de la liseuse difficile. La liseuse est-elle à l'épreuve du vin ? Quel effet une lampée de rouge pourrait-elle produire sur la *Recherche* ?

Lire en marchant n'est jamais recommandé de toute façon. Il faut vraiment être plongé dans un texte exceptionnel pour prendre le risque. La lecture du poème, en revanche, s'en accommode beaucoup mieux, entre deux vers on peut lever l'œil pour guetter le passage des poteaux et réverbères.

Au bistrot, tout va bien. La tasse à café est petite et l'espace vital moins mesuré. La luminosité est parfaite, le brouhaha ambiant se gomme facilement, on peut passer aux choses sérieuses. Prendre des notes sur une liseuse est un drame. Je déteste cela. Je peux tout faire à l'aide de mon clavier, mais rien ne me convient. Ce que j'aime dans les notes marginales, c'est l'écart qui existe entre le texte et elles. Je les note au crayon, hâtivement tracées, elles sont le contraire du texte lui-même. Elles ne le contraignent en aucune façon, elles ne rivalisent pas avec lui, elles ne lui ressemblent en rien. Elles dialoguent avec l'auteur plus qu'avec le texte lui-même. Là, ces notes bétonnées me font peur, elles sonnent comme des oukases. Je voudrais écrire directement sur la liseuse avec mon crayon d'ardoise.

Valentine gratte à la vitre du café. Je lui fais signe d'entrer.

— Je vous dérange ?
— Un café ?
— Non, merci. J'ai encore une question.
— J'ai encore une réponse.

Nous y reviendrons.

Lorsque soudain ma liseuse cligne de l'œil et me demande de la brancher, j'empoigne son cordon et me dirige vers le bar. Le garçon me voit venir.

— Pourriez-vous me brancher, s'il vous plaît, je suis à court de batterie ?

Il rigole.

— Soyez gentil, je ne peux pas attendre pour savoir si Lizbeth Salander va s'en sortir. Ils sont affreux avec elle. Ils veulent la détruire et le journaliste ne parvient pas à entrer en contact… Elle a déjà dérouillé ferme et j'ai peur…
— Vous imaginez, si tous les gens du quartier qui ont peur viennent pomper mon électricité, ce qui va m'arriver ? Quand vous allez chercher de l'essence, vous la payez, non ?
— Je veux bien payer.
— Cette prestation n'est pas encore inscrite sur la carte. Rentrez vous brancher à la maison, c'est moins cher. Vous pouvez aussi acheter le bouquin en poche pour savoir la fin. Si ça se trouve je l'ai ici sous le comptoir. Les clients les oublient.

Tenez. C'est pas celui-là ? Il est un rien cabossé, mais toute l'histoire doit être encore dedans.

J'ai donné rendez-vous à Adèle au bar du Lutétia en fin de journée. J'en avais perdu l'habitude tant il fallait, à une certaine période, y saluer de confrères, de consœurs, d'auteurs, de producteurs, tant il fallait se replier dans un coin tranquille pour s'assurer que le contrat que vous discutiez ne serait pas immédiatement public et que le choix de votre hôte ne prêterait pas à ragots et sous-entendus affairistes ou sexuels. Aujourd'hui, les vieux habitués ne sont plus là, le Menhir a pris sa retraite, le petit nerveux est dans le quinzième, le grand est à la porte d'Orléans, le Commandeur est mort. J'en pleure certains, j'en regrette d'autres, certains autres moins.

Un petit salut à Dussolier qui a ici ses habitudes, deux bises sur les joues confortables de la grosse Fanfan, et me voici effondré dans un fauteuil rouge en face d'Adèle réjouie par un whisky.

— Imagine, lui dis-je, que je veuille te prêter un livre. Si je donne ma liseuse, non seulement je n'aurai plus rien à lire moi-même, mais, te connaissant, je crains que tu n'en lises un autre parmi ceux qui sont à l'intérieur. Que faire ?

— La solution est simple, tu m'offres une liseuse (ce qui, par parenthèse, devrait depuis longtemps être fait) et, grâce à la technique dent bleue, tu fais glisser le livre que tu veux me prêter de ta liseuse à la mienne. C'est doux, c'est fluide et, je dois dire, assez sexy.

— Qui ? La manœuvre ou moi ?

10

Valentine a quand même fini par les rassembler tous dans le bureau. Je dis tous, mais je pense qu'il y a bien davantage de stagiaires dans la maison et que ceux-là constituent une bande à l'intérieur de la troupe. Ils ont l'air cohérents : ils portent des jeans en bas, des pulls noirs en haut, ils sont hirsutes (selon mes critères). Ce sont trois garçons et elle, ce qui me frappe comme une évidence : trois garçons et elle, colorée, jupe rouge, bas jaunes assortis à son haut.

— Lui, c'est Grégor, le Sciences-Po, lui, c'est Mom, le normalien, et lui, c'est Kevin, le geek.
— Le geek de quelle origine ?
— IUT.

Ils fabriquent un moment de silence. Ils ne savent pas trop ce que j'attends d'eux. Ils me regardent et, comme je ne dis rien, c'est le nommé Mom qui se lance.

— C'est vrai que vous avez laissé Valentine choisir un manuscrit et téléphoner à l'auteure pour lui dire qu'elle était prise ?

— Pardon, c'est moi qui ai choisi le manuscrit que Valentine devait lire. À part ce détail, tout est vrai. On lit, on aime, on publie, on vend. C'est l'idée de l'édition, non ?

— Et on croise les doigts pour que le public aime aussi ?

— Un peu facile, camarade. On peut toujours croiser les doigts, mais certainement pas les bras. Le boulot continue ensuite, d'une certaine façon, on peut même dire qu'il commence. Quand le bouquin sera fait, Valentine va être obligée d'en parler à la presse, aux représentants, aux libraires, aux copains, à Facebook. Elle va devoir faire le coup de poing, le gros câlin, tout... Si elle bosse bien et si son auteure continue à produire, dans une dizaine d'années, elle sera devenue visible, on parlera d'elle dans les journaux, à la radio, sur les blogs. Elle aura réuni autour d'elle une famille de lecteurs qui l'attendront et la liront. La seule inconnue, c'est la taille de cette famille. Il y a des auteurs qui ont de toutes petites familles, très fidèles mais très petites. Certains ont de grandes familles capricieuses qui vont et viennent. Et puis il y a ceux qui ont la grosse famille et qui doivent veiller à bien cuisiner le bon repas pour chaque baptême...

Là, tout en parlant, je me plante. À l'aide de mon Laguiole, j'ouvre à leur intention une bouteille de pic-saint-loup. J'ai choisi ce vin parce qu'il n'a pas encore atteint sa forme finale. On peut en trouver de très médiocres, on peut en trouver de très chers et pas vraiment meilleurs, et assez souvent de fort ensoleillés dont les traits se fixent peu à peu. Un vin pour goûteur en devenir. Un vin gamin. Et je me plante parce qu'ils me demandent en chœur si je n'ai pas de la bière. Et je n'ai pas de bière. On trempera quand même les lèvres dans le vin, mais ce sera sans passion.

Comme j'imagine que Valentine leur a parlé, je n'attends pas d'avoir vidé mon verre pour dire :

— Alors ?

— Alors, dit Kevin, on a déjà réussi à débarrasser les rayons de pas mal d'encombrants en papier : le Bottin, l'indicateur des chemins de fer, l'*Encyclopædia Universalis*, presque tout le catalogue de la Redoute, bientôt les journaux, on est pas mal barrés...

— Il ne faut pas faire attention, Kevin, on l'appelle « table rase ». Il est tout écran ! Moi, je me fiche des tuyaux, je m'intéresse davantage aux jeux et à ce qu'on peut faire avec. Ils sont déjà beaux et ils vont forcément devenir littéraires en grandissant...

— Prenons les problèmes dans l'ordre. Vous avez envie de lire quoi ?

— Moi, ce que je voudrais, explique Valentine,

c'est recevoir un joli poème chaque matin sur mon iPhone, un minifeuilleton spécial métro, avec des illustrations — la tête du traître, la belle blonde martyrisée et un peu de musique dans les écouteurs. Après, j'ai l'iPad et le laptop pour la journée, et le soir un bon vieux bouquin en papier pour quand je m'écroule au lit.

— Ce qui est intéressant, c'est tout ce qu'on peut proposer comme nouveaux genres de textes pour les écrans. Sur ce coup, on aurait vraiment besoin de Perec. Il faut profiter à fond, tout essayer, se libérer au maximum des formes imposées par le papier. Le roman va peut-être perdre, mais la poésie va gagner, le bref aussi, le super-lourd, le farceur, le blog et puis tout ce qu'on ne connaît pas encore et qu'on devine…

— Première mesure : on éclate l'écrivain et le texte. On lui rentre dedans. On le fait servir à autre chose. On le mélange.

— On fait le e-Goncourt, pour le grand public.

— On met la panique dans le cartable des mômes…

Je prends une longue gorgée de pic-saint-loup. Maintenant qu'il est ouvert depuis un moment, il est vraiment très velours. C'est dommage. Ils se tiennent tous les quatre en face de moi. Ils se sont rapprochés pour faire bloc. Ils sont drôles. Je vais leur faire un truc qui va les jeter tout crus dans la vie. Ils n'auront même pas le temps d'avoir peur.

— Alors j'ai une idée : nous allons créer une petite société, notre petite entreprise, et nous allons nous mettre au travail.

— Mais il y a déjà la maison d'édition…

— Rien à voir. Ce sera notre affaire à nous cinq. Top secret !

— Il faut de l'argent !

— Je pense que ce sera mon rôle dans la boîte. Je vais mettre de l'argent et vous mettrez le reste. À une seule condition : vous ne vous occupez pas des tuyaux. Même toi, le geek. Vous ne vous intéressez qu'à ce qu'on va faire passer dedans. Les textes, les idées, les images, les auteurs, rien que les auteurs. Vous les débusquez partout, vous écrivez vous-mêmes, vous faites ce que vous voulez, mais il nous faut des contenus. Tout le monde travaille à faire passer les vieux trucs dans les tubes. Ils dépensent des millions, comme Meunier. Nous, nous n'avons rien, alors nous faisons du neuf, du pas pareil…

— Et si on se plante ?

— On se plantera. Compte tenu du projet, on va devoir se planter beaucoup.

— Tomber six fois, se relever sept.

— Tu l'as dit, Grand Sachem.

— Mais comment on fait ?

— D'abord vous trouvez un nom pour notre société, ensuite je m'occupe des papiers et puis on travaille. Vous pouvez même commencer à travailler de suite.

— On va éplucher les blogs.

— À votre bon cœur. Vous me faites la liste de ce dont vous avez besoin.

— Et par rapport à ici, on fait comment ?

— Je ne sais pas, moi. De toute façon, si Meunier vous exploite, vous allez lui coller une petite grève, non ? Un petit mouvement d'ensemble ? Un coup de zèle ?

Là, ils se regardent les uns les autres et se resserrent encore davantage. Dans leurs yeux, je vois passer l'ombre d'un gros doute. L'édition française est en marche, elle a peur. Ça va décoiffer.

— Allez, à la chasse ! Et vous ne ramassez que le meilleur de la crème.

11

Sabine est en éruption au restaurant, elle a remonté ses cheveux rouges et frisés en gerbe sur le sommet de son crâne, ses yeux marron sont noirs, elle crache le feu sur Meunier.

— Vous ne pouvez pas le laisser faire comme ça. Cette maison, c'est la vôtre, la nôtre, et il faut qu'il arrête. Il a refusé de signer le contrat de la petite ce matin, il a envoyé Balmer aux pelotes parce qu'il ne voulait pas signer son avenant pour les droits numériques, il a embauché deux nouveaux sbires pour la distribution. Où allons-nous ?

— Calmez-vous, Sabine, sinon, la très silencieuse Mme Martin va nous foutre à la porte. Nous allons parler de tout cela en déjeunant paisiblement. Pour moi, ce sera pâté de tête et raie aux câpres.

— J'ai même pas faim.

— C'est regrettable.

— Salade au magret et andouillette, quand même.

— Vous voyez, ça va déjà mieux.

Mme Martin s'approche, le brouilly à la main. Elle pose la bouteille sur la table, tire le bouchon, emplit les verres et s'assied.

— Il y a du relâchement dans le service ! Depuis trente ans que je viens chez vous, c'est la première fois que je vous vois assise.

— Il n'y a pas de relâchement dans le service, il n'y a plus de service. Je voulais vous annoncer que j'ai vendu. Je m'arrête.

— Laissez-moi deviner, se précipite Sabine, Prada ? Stéphane Kélian ? Weston ? Kenzo ?

— Non, la maison reste dans la restauration.

Elle se retourne, saisit un verre sur la table voisine et se verse un coup de brouilly.

— Tartines pain Poilâne au jambon de pays sur un lit de salade ?

— Non, ce sont des Chinois qui ont acheté pour faire du japonais.

— Le sushi des fashionistas !

— Et vous laissez faire une chose pareille ? Après ces montagnes de blanquette, ces himalayas de petit salé, ces cathédrales de boudin purée ! Vous nous condamnez à la boulette de riz sucré surmontée d'une tranche de saumon épaisse comme un film ! Hors de prix, bien sûr.

— Vous allez pouvoir commencer votre régime, Monsieur Dubois.

— Ce qui est sûr c'est que je vais me mettre à la marche à pied pour trouver une gargote convenable… J'aimais beaucoup venir chez vous, savez-vous ?

— Je crois que j'avais remarqué. Vous allez me manquer et vos auteurs aussi. Ils étaient marrants.

— Pas tous. Vous partez ?

— Je ne sais pas encore. J'ai un peu peur de la campagne et je n'aime plus tellement la ville.

— Je sens que ça va être facile.

Elle se lève et va d'un pas léger chercher les entrées.

— Il y a quelque chose qui ne colle pas ? demande Sabine. Vous êtes pâlichon.

— Non, c'est rien, juste mon petit infarctus de treize heures.

— Buvez un coup.

Sabine ne sait pas tout sur la marche des choses de la maison, mais elle est clairvoyante. Elle a quantité d'éléments en main, elle est capable de tout reconstruire. Je l'énerve. Elle ne parvient pas à deviner exactement ce que je trame et elle se sent déstabilisée, poussée à l'écart. Elle veut savoir à quoi je me chauffe.

— Vous voyez bien ce qui est en train de se tramer. Vous sentez bien qu'on vous pousse de l'épaule et que vous allez vous retrouver sur le trottoir.

— En effet, maintenant que vous me le dites, il est vrai que je le sens parfois. J'ai même un bleu là.

— Et ça vous fait rire. Est-ce que vous savez bien ce qui se passe dans votre dos ? Plus il vous dit que vous êtes le meilleur éditeur du monde, plus il vous ensucre publiquement pendant le comité, plus il vous appelle Gaston et plus il conforte sa position. Vous voyez bien qu'il prend de plus en plus de décisions qui vous incombent : il choisit des textes sans en parler au comité, il refuse des contrats aux auteurs que vous avez choisis.

— Jusqu'ici, j'ai toujours réussi à le faire revenir sur sa décision.

— Jusqu'ici. Vous savez qu'il vient de prendre le texte de Goérand qui est ni fait ni à faire ?

— Le quoi ?

Elle prend ma liseuse — « vous pourriez quand même la nettoyer ! Regardez l'écran, il est dégueulasse, vous ne pourriez même pas lire *Vol de nuit* » —, elle fouille et me pointe le texte qui m'a échappé.

— Je ne l'ai pas vu, celui-là.

— Vos rayons sont mal rangés. Mais c'est trop tard. Il a aussi proposé à Geneviève de doubler son à-valoir. Elle l'a envoyé aux pelotes sans même vous en parler.

— Elle passe chez Brasset, c'est moi qui l'avais dit à Meunier.

— Elle passe chez Brasset et vous ne bronchez pas ?

— Elle va y chercher quelque chose que nous ne pouvons pas lui donner.

— Et comment finissons-nous l'année si on n'a pas un titre de Geneviève à la rentrée ? On fabrique une nouvelle Geneviève ?

— Cela risque de prendre du temps.

— On débauche des auteurs ?

— Ce n'est pas le meilleur moment. Il vaut mieux attendre après les prix littéraires. Ceux qui ont été battus sur le fil ont très souvent envie de changer d'éditeur. Surtout si c'est un autre auteur maison qui a obtenu le prix.

— Donc, on ne fait rien…

Mme Martin approche et Sabine se tait.

— Une andouillette et une raie pour vous Monsieur Dubois.

— Vous fermez quand exactement, Madame Martin ?

— À la fin du mois.

— Vous organisez une fête ?

— Certainement pas.

— Et votre équipe ?

— Il n'y a qu'une serveuse qui reste. Le chef a refusé de se convertir au sushi. Il cherche ailleurs. Bon appétit.

Sabine pique avec les doigts une pomme sarladaise dans son assiette et la croque. Elle est brûlante.

— J'ai besoin de savoir ce que vous comptez faire pour redresser la situation.

— Vous voyez bien que plus personne ne la connaît, la situation. Si ça se trouve, dans deux ans il n'y a plus une librairie en France, les papetiers sont en faillite, les imprimeurs vendent leurs Cameron au poids de la ferraille, les auteurs écrivent des texticules en corps 6 et en anglais, les éditeurs font la queue pour se faire embaucher chez Google ou chez Amazon. Ils supplient.

— Et alors ? Moi, je suis encore en vie et j'ai encore besoin de lire et de travailler. Ça sert à quoi un patron, sinon à régler ces problèmes, à prévoir, à organiser. Là, il faut faire preuve d'imagination, c'est le bon moment. J'étais persuadée que vous en aviez plus que votre part. Étonnez-nous au lieu de vous laisser faire par des gens sans imagination. Soyez au moins à la hauteur des stagiaires ! Ils ont commencé une sorte de grève du zèle qui met Meunier hors de ses gonds. Ils ont inauguré une politique de la question permanente. Avant de faire la moindre chose, ils l'assaillent de questions sur le bien-fondé de ceci ou de cela. C'est plus efficace que la grève sur le tas et, mine de rien, ils accumulent une quantité impressionnante d'informations. Ils ne tarderont pas à s'y connaître. Faites comme eux, ne vous mettez pas à la faute.

12

La nuit est épaisse, grasse. À trois heures et demie, elle est à son plus noir, à son plus silencieux. Je suis assis dans le canapé, ma tablette posée sur les genoux, je n'ai pas encore l'énergie d'appuyer pour la mettre en marche et faire jaillir le texte. Ce qui est dedans me menace. J'en veux à ce métier de m'avoir tant et tant empêché de lire l'essentiel, de lire des auteurs bâtis, des textes solidement fondés, au profit d'ébauches, de projets, de perspectives, de choses en devenir. Au profit de l'informe. Au nom d'un futur que je ne verrai pas, et qui, sans doute, clamera que je me suis trompé dans mes choix, trompé sur les textes, trompé sur les femmes et les hommes. C'est le rôle du futur.

J'étends mes jambes qui pèsent une tonne, je me cale. Que seront mes auteurs dans dix ans ? Comment la vie va-t-elle les tordre ? Comment les plus forts d'entre eux tordront-ils la vie ?

Un jour, à trois heures et demie du matin, mon téléphone sonne. Je dormais à cette époque. Un de mes auteurs au bout du fil, exalté, hors de lui. Il me hurle dans les oreilles que ça y est, il vient de changer de sexualité, il vient de baiser une femme qui se trouve d'ailleurs auprès de lui et qui peut témoigner. Ça y est, ajoute-t-il, je suis hétéro, je suis respectable, je peux passer chez Pivot ! Ce qu'il tient à me confirmer le lendemain matin en me rendant visite, dès l'aube, au bureau. Pour entériner sa conversion, il a même retrouvé un vieux costume prince de galles étriqué et jauni, rehaussé d'une cravate verte comme seuls ceux qui n'en mettent jamais savent les choisir.

— Regarde, je suis présentable. Tu peux l'appeler, Pivot, tu peux lui dire que je suis bien, que je ne mets plus de bombes sous les paillassons et que je baise les filles.

— Sincèrement, tu es très chic, mais je ne pense pas que poser à l'hétéro cravaté puisse faire quoi que ce soit pour toi. Surtout si c'est pour aller faire la promo d'un livre qui ne parle, fort bien d'ailleurs, que d'homosexualité.

— Mais tu peux l'inviter avec moi à déjeuner pour le convaincre, je me tiendrai bien. Si je passe à « Apostrophes », c'est toute ma vie qui change, je vais tout faire éclater, on sera riches. J'en ai des choses à leur dire, moi, aux téléspectateurs.

— Écris-les.

— Ils lisent pas, ils lisent plus, c'est fini !

Pendant toutes les années « Apostrophes » je n'ai entendu que cette question magique : « Je passe quand chez Pivot ? » Passer à l'émission donnait aux auteurs leur certificat d'écriture. Ils devenaient enfin écrivains à la face du monde et de leur marchand de journaux réunis. Une longue semaine de gloire et de reconnaissance. Écrivain enfin ! Eux qui passaient leurs journées et leurs nuits à écrire.

Une jeune retraitée de l'Éducation nationale, professeure de lettres sans doute, se trouve un jour en face de moi, dans mon bureau. Impeccablement coiffée, bijoutée et vêtue, elle me tend un paquet de feuilles.

— Voici mon manuscrit. Il faudra sûrement le réviser, il ne faut pas m'en vouloir si j'ai laissé des fautes parce que je l'ai écrit très vite après ma retraite pour pouvoir passer chez Pivot avant d'être trop décatie.

— Vous voulez dire que vous l'avez écrit *pour* passer chez Pivot ?

— Les autres ne procèdent pas ainsi ?

Adèle, qui a toujours été amoureuse de Pivot et l'est encore, me racontait qu'elle avait réussi à le convaincre, un jour, de prendre un de ses auteurs fétiches. Cet auteur, un grand écrivain-professeur comme on les taillait à l'époque, était un écrivain parfait et un homme doué de la plus brillante parole. Il subjuguait ses étudiants, il fascinait ses pairs et ses éditeurs, manifestement il emballait aussi son attachée de presse. Lorsque le Landerneau apprit son passage à « Apostrophes », il parut évident à tous que nous étions partis pour un nouveau raz de marée à la façon de Vincenot qui avait séduit la France en un quart d'heure et fait exploser le marché du livre de terroir. Pivot lui-même était content de recevoir ce bel auteur un peu difficile, avec une si belle tête d'auteur. Pivot releva sa mèche de cheveux et, par-dessus ses lunettes en demi-lune, lui posa une première question. Et là, notre auteur s'éteignit comme une lanterne, bafouilla, submergé par l'enjeu, par l'attente de tous et de lui-même. La seule expression qu'il réussit à faire passer sur son visage était celle qui disait : « Qu'est-ce que je fais ici ? Sortez-moi au plus vite ! » Pivot passa souplement à sa voisine qui n'avait rien à dire mais le disait plaisamment.

Les auteurs espéraient beaucoup de ce dialogue qu'ils pouvaient entamer en un soir avec quelques millions de téléspectateurs et lecteurs potentiels. Cette attente était légitime, la télévision donnait alors aux livres et les auteurs voulaient en profiter. Maintenant que la télévision ne donne plus qu'à la télévision, les auteurs sont éclatés. Ils vont chercher leurs lecteurs un par un, ils courent les maternelles, les collèges, les facs, les colloques, les Alliances françaises, les Instituts. Leurs genoux craquent et leur empreinte carbone est catastrophique.

Un seul de mes auteurs qui avait fort bien démonté les mécanismes de la Sociéte du Spectacle, m'a fait signer par contrat qu'il ne passerait jamais chez Pivot — ce qui était la plus belle façon d'entériner le désir de tous. Il se montrait calmement résolu à refuser toutes les sollicitations et tous les entretiens avec la presse. Bien entendu, Pivot n'a jamais manifesté le moindre désir de l'inviter, me privant ainsi du plaisir de dire non à quelqu'un à qui le monde entier disait oui.

Je me résous à allumer ma liseuse. La lumière me saute au visage. Elle est en éclairage plein jour. Je l'adoucis aux couleurs de la nuit et je lis. Peu à peu je me laisse avaler par le récit. Il s'agit d'un très bon texte dans lequel j'avance sans effort, une histoire de chat dans le quartier du Marais que je sens bourrée de dynamite narrative mais que j'avale pour l'instant comme s'il s'agissait d'une histoire de chat dans le quartier du Marais.

J'entends du bruit dans la chambre. Le sommier grince. C'est Adèle qui se lève. Elle entre dans le salon en titubant de sommeil.

— J'ai soif. J'ai du mal à dormir.

Elle disparaît dans la cuisine, nue sous son ticheurte, côté fesses, et revient, côté touffe, plus réveillée, un verre à la main. Elle a maigri.

— Tu veux un verre aussi ? Il fait chaud. Bois dans le mien. Fais-moi une place auprès de toi et puis allume la lumière. Tu me fais peur avec ta liseuse sous le menton. Tu n'es pas un fantôme. Tu es un éditeur.

13

La maison d'édition est silencieuse. Tout le monde a déserté. C'est l'heure où, furtifs, Grégor, Mom et Kevin passent la tête par la porte de mon bureau.

— Entrez, entrez, cette fois, j'ai de la bière.
— Moi, j'aime mieux rester debout, dit Kevin, je réfléchis mieux et la bière descend plus vite.
— Pscht, font les canettes.
— Voilà, on a bien réfléchi, commence Mom.
— Nous n'attendons pas Valentine pour attaquer ?
— Elle a quitté, Valentine.
— Elle a quitté ?
— Oui, elle a été embauchée à « Sceaux Watts », le festival de rock électro de la banlieue sud. Dans le parc.
— Elle a quitté l'édition ? Mais j'ai encore la liste de ses questions sur mon bureau. Elle avait l'air intéressée par le métier. Et puis elle me

laisse Maud, son auteure, sur les bras. Ça lui ressemble, ce genre d'attitude ?

— Vous savez, les Blacks, hein, y a que le fric et le rock qui les intéressent. Un peu la sape aussi et puis, vole ! Le rythme, le rythme !

— Fais-moi cent cinquante pages sur ce thème et nous allons tous en prison. Tu es sur la bonne voie.

— Mais non, je rigole. Elle avait besoin d'argent et puis elle voulait retrouver un guitarman qu'elle avait dragué aux Vieilles Charrues. Un gars des Balkans, je crois. Plutôt cabossé.

— À ce point ?

Et je me retrouve face à ces trois gaillards, un peu déshabillé. Je me rends compte que je ne les imaginais pas sans Valentine et que sans elle le projet n'a plus la même forme. En a-t-il seulement une ? En fait, elle me semblait être la nouveauté, la bonne idée. Elle *avec* eux. L'équilibre me semblait bon, cela ressemblait à une équipe, maintenant, avec les trois garçons, les lignes possibles de partage des tâches paraissent un peu trop claires. Je devine mal la flamme dans la lanterne. Elle aurait pu au moins me dire au revoir.

— Alors voilà, recommence Mom en se grattant la crête, on a trouvé le nom pour la boîte. Tu le dis, Grégor ?

— Vas-y toi, c'est ton idée.

— Alors, on veut qu'elle s'appelle « Au coin du bois ». Les éditions « Au coin du bois ».

Comme ça on sauve le nom de Dubois sans le dévoiler.

— Et puis, au coin du bois, c'est là où on attend les autres pour les détrousser.

— Nous voulons être des éditeurs électroniques de grand chemin.

— Je trouve le nom bien choisi — et gentil de surcroît. De mon côté, j'ai fait toute la paperasse, maintenant que j'ai le nom, je vais pouvoir déposer les statuts et l'argent. J'aurai besoin de vos signatures. Et puis il faut re-répartir les rôles, maintenant que Valentine n'est plus dans le coup. Qu'est-ce qu'il lui a pris ? Elle va nous manquer. Vous ne pouvez pas lui passer un coup de fil pour être sûrs ?

— Il faut lui foutre la paix. Elle a raison.

— Et puis on a pensé que comme on est déjà un peu vieux, reprend Grégor, on va travailler avec le petit frère de Kevin. Il a quatorze ans et c'est un très bon. C'est juste le bel âge pour la bidouille.

Grégor se soulève pour tirer de la poche arrière de son jean une feuille de papier pliée en quatre et gondolée à la forme de ses fesses. Il la déplie et la lisse sur la table basse. Comme elle s'obstine à se relever dans un angle, il pose dessus sa canette.

Je suis en fin de compte assez heureux de boire une bière avec eux. Ce n'est pas ma boisson préférée, en tout cas pas quand je suis à Paris, mais je pense qu'il faudra s'y faire et que l'édition devra très vite en passer par là. Il faut que je pense à faire faire le grand livre des canettes pour le prochain Noël.

— J'ai fait un bizness plan rapide. On devrait pas mal perdre au début, mais bien gagner ensuite.

— Je préfère dans ce sens-là. C'est rassurant.

— Ce qui coûte forcément, c'est les SMICs, puisqu'on est déjà équipés et qu'on travaille à la maison.

— Et puis vous pouvez même piquer des crayons et du papier ici.

— Du papier ?

J'éclate de rire à sa question et ils me regardent surpris.

— Pardonnez-moi, mais je trouve très drôle que vous ne vouliez pas de papier, parce que moi, j'ai précisément démarré dans le métier avec une affaire de papier. J'étais directeur littéraire de la maison et à la suite d'une affaire compliquée j'en suis devenu le patron. J'étais heureux, mais comme ma formation était littéraire, j'avais peur de me faire arnaquer. Mon premier travail de chef a été d'acheter du papier. Une montagne de papier parce que nous avions un livre qui flambait et nous devions en imprimer des wagons. Je me suis fait inviter par le gars qui m'avait mis le pied à l'étrier et m'avait apporté du capital. Un vieux de la vieille. Son chauffeur nous a conduits dans un super-restaurant où il avait ses habitudes. Nous nous installons, champagne, amuse-bouche, et je lui demande tout à trac comment je dois m'y prendre pour négocier mes tonnes de papier. Il se cale sur son dossier et se lance dans une explication technique. « Si le gars avec qui vous discutez est un ESSEC — vous le saurez vite, ils ont du mal à se retenir —, vous le négociez par le produit. Vous discutez grammage, main, couleur, rouleaux, etc., ensuite seulement vous en viendrez au tarif… Si votre interlocuteur est un HEC, vous négociez par l'argent — ils ont une très haute opinion de l'argent —, vous discutez les prix et vous en venez aux aspects techniques. » Là, il marque un temps, il boit un coup, change de position sur sa chaise, me regarde en fronçant les sourcils et me dit : « Évidemment, s'il a lu les *Illusions perdues* et *Bel Ami,* tout peut basculer d'une seconde à l'autre. Mais comme vous les avez lus avant lui, tout devrait bien se passer. » C'est à cet instant-là que je suis devenu éditeur.

14

Sans trop savoir comment ils sont arrivés là, je retrouve le bizness plan et tout le projet éditorial sur ma liseuse. Je les lis dans la nuit. Une chose est sûre, les garçons ne sont pas gourmands. Une chose est encore plus sûre, ils s'amusent. La grosse moitié de ce qu'ils proposent me semble, au mieux, invraisemblable, mais je me méfie terriblement de moi. Je laisse la tablette en équilibre instable sur mon genou. Elle se balance un instant et je la saisis au vol à l'instant où elle bascule. Je recommence. Que se passerait-il si elle tombait ? Quelle sorte d'étoile ferait l'écran en se brisant ? J'ai du mal à comprendre pourquoi la présence de Valentine me semblait rassurante. Comme si, avec ses jupes colorées, ses bas criards et sa peau noire, elle incarnait la nouveauté, la différence. Elle était la radicalité visible d'« Au coin du bois ». Elle m'aurait aidé à prendre le projet en bloc sans discuter.

Au matin j'appelle Balmer :

— Balmer ?

— Robert ? Tu es gentil de m'appeler à l'aube.

— Habille-toi, je vais t'envoyer trois gosses mal coiffés et je t'interdis de me dire que je suis cinglé. Ils sont brillants. Tu écoutes ce qu'ils ont à dire. Si des choses t'intéressent, tu creuses et ensuite, tu me dis franchement ce que tu en penses. Mais motus au-dehors.

— Robert, qu'est-ce que tu es encore en train de nous inventer ? Tu ne peux pas nous préparer un bel album en couleurs sur les chats de race pour Noël ? Un beau *Châteaux de la Loire* que tu vendrais aux Américains ? Tu es incorrigible. Je vais les cuisiner, tes mômes, je crois deviner ce que tu concoctes, mais sincèrement, je ne pensais pas que tu jouerais le coup de cette façon.

— Et comment donc ?

— Je te voyais plutôt du côté de l'artillerie lourde.

— Meunier est déjà dans le fût du canon. L'espace est trop compté pour deux.

— Ils ont quelle marge de manœuvre, tes garçons ?

— Toute la marge. Il faut qu'ils fassent des conneries. L'essentiel est qu'au milieu des mauvaises herbes poussent quelques petites fleurs bleues.

— Les conneries ça me connaît. Pour le reste, j'ouvre les yeux et je te dis… C'est payé ?

— Énorme.

J'aime le bureau, tôt le matin. Je ferme les yeux et j'écoute. Un comptable furtif arrive à pas glissés, une secrétaire, la standardiste. Pour un peu, je les entendrais bâiller et faire craquer leurs jointures. La maison prend lentement souffle, quelques portes battent, un premier murmure, le cri d'un ordinateur qu'on allume, et soudain, comme une alerte générale, l'odeur du café. On va pouvoir bavarder.

Un mug « I ♥ NY » fumant entre dans mon bureau, suivi de Meunier en chemise blanche à col ouvert. Terriblement réveillé. Il ferme la porte derrière lui. L'heure est aux confidences.

— Gaston, j'ai besoin de ton aide.

— Ce doit être très grave.

— J'ai des soucis avec les stagiaires. J'ai l'impression qu'ils traînent les pieds.

— Quelle importance ?

— Il y a pas mal de boulot en ce moment et je voudrais pouvoir compter sur eux.

— Ils sont là pour apprendre, pas pour travailler, non ?

— Y a-t-il un meilleur moyen d'apprendre qu'en travaillant ?

— Dès lors, il suffit de les motiver comme des travailleurs en leur donnant des missions intéressantes et d'énormes paquets d'argent.

— Je vois que tu es toujours aussi bon pour les solutions magiques. Je voudrais que tu les voies, que tu les remotives, que tu leur parles du métier avec des anecdotes, comme tu sais le faire. Que

tu leur expliques que c'est une chance d'être
ici...

— Qu'ils ne trouveront pas de travail en sortant, que la vie est belle.

— Essaie d'être positif, parfois, et vois-les, s'il
te plaît.

— C'est un ordre.

Là, je retourne immédiatement aux fonda-
mentaux. Je fonce chez Emmanuelle à l'inter-
face entre l'éditorial et la fab, au cœur même du
métier d'éditer.

— Emmanuelle, donne-moi un texte à préparer. En papier, si tu veux bien. N'importe quoi,
j'ai besoin de travailler.

— J'ai un roman tout chaud. C'est bon ?

— Parfait. Tu me promets de repasser derrière
moi, je suis un très mauvais préparateur de copie,
tu le sais. Mais j'adore ça.

— Je repasse toujours derrière toi de toute
façon. Le texte est déjà sur mon écran.

Elle glisse la liasse de feuilles dans une enve-
loppe de papier kraft. Elle me regarde avec ses
beaux yeux pleins de grammaire et hoche dubi-
tativement la tête en souriant.

— Ça va ? me demande-t-elle doucement.

Je lui fabrique un sourire, un clin d'œil gauche et je vole un feutre rouge dans son pot. Le
couloir est désert, je le parcours à longues jam-

bes, j'esquive la standardiste, je sors du bureau. Il pleut. Je pose le manuscrit sur ma tête et cours jusqu'à la bibliothèque.

La bibliothèque du quartier est moderne, elle porte encore un nom d'écrivain bien qu'on y prête surtout des films. Elle est volontairement assez inconfortable, pour dissuader les longs séjours. Elle tient davantage de l'hypermarché que de la bibliothèque méditative. Je l'aime bien, elle est facile à apprivoiser. Malgré les hautes baies vitrées on y sent le silence des livres. Ils sont récents, pour la plupart, et l'odeur de colle et d'encre l'emporte sur la légendaire senteur de poussière et de papier. Je trouve une petite table libre entre les sports et les sciences, ce qui devrait limiter les circulations. Je mets mon veston à sécher sur le dossier de la chaise, j'éteins mon téléphone portable, dégaine le texte, essuie l'humidité de la première page et branche mon œil correcteur. Je suis décidé à faire le tri entre les « er », les « ez » et les « é », la nouvelle épidémie des participes et je lutterai jusqu'au soir.

15

Au comité de lecture, les dés sont pipés. Depuis le jour où j'ai vu surgir dans le programme un titre dont la publication n'avait pas été décidée en comité, j'ai su que c'était fini. Nous nous donnons le théâtre de la décision selon un rituel immuable, nous produisons l'essentiel des choix, mais il suffit qu'un seul passe à travers les mailles du filet pour que le filet ne soit plus un filet. Décider de rendre public un texte, même si on le fait trois cents fois par an, n'est jamais anodin. Il y a au moins dix règles claires qui président au choix d'un texte : le sacro-saint cadre des collections (contre lequel on a inventé les titres hors collection), le moment stratégique (contre lequel on a multiplié les rentrées littéraires), le thème à la mode (contre lequel on a inventé l'effet de surprise), la stratégie des prix littéraires (contre laquelle on a inventé la stratégie de l'accaparement par quelques maisons), le manque d'argent (contre lequel on a inventé l'argent), le genre qui fait fureur (contre lequel on a inventé un nouveau genre plus furieux encore)… et j'en passe. Ces règles claires et magnifiquement contournables, servent à se rassurer au moment de dire « j'aime » ou « je n'aime pas » et à conjurer les vingt autres règles obscures au nom desquelles on choisit vraiment. Ces raisons troubles, faites de goûts, d'affinités, de culture : les raisons de la ressemblance avec ce qu'on aime, les raisons de la différence, les raisons de la colère, les raisons de fidélité à son adolescence, à ses maîtres, sans oublier les raisons de l'amitié et de l'amour, qui sont de bonnes raisons d'éditer. Le talent se reconnaissant aussi dans les baisers.

Je suis assis dans le fauteuil, j'y tiens. Les autres font cercle à partir de moi, sur des chaises. Ils sont les personnages d'un roman que nous écrivons ensemble depuis des années. Chacun, plus ou moins contre sa volonté, tient un rôle. Je sais que donner à lire tel manuscrit à ce lecteur-là reviendra à le condamner. À ce jeu, je suis rarement surpris. Chacun a un domaine de prédilection. Certains ont le sens du public plus que d'autres, ils ont la main heureuse. D'autres ont le sens du nouveau, de l'écart. Ils invitent au risque et à la patience. Ils ont parfois raison à long terme et toujours tort devant les financiers.

Il existe des grands comités d'auteurs prestigieux qui se cooptent et sélectionnent les jeunes pousses dignes d'eux. Ce sont de grosses machines de luxe bien adaptées à la littérature et à certaines familles d'essais. Ils se montrent plus maladroits lorsque l'on se rapproche du cœur du métier qui est de faire en sorte que la maison dure. Ce moment de la décision fascine tellement le public que beaucoup résument le travail de l'éditeur à cet instant-là. Qui n'est en fait que celui où le travail commence.

Le comité que j'ai bâti est un comité de professionnels qui pour l'essentiel sont lecteurs plus qu'auteurs et qui pour l'accessoire ont une claire imagination du travail qu'il faudra faire derrière.

— Il faut d'abord décider de qui va s'occuper du roman que Valentine a laissé tomber en nous laissant tomber, attaque Meunier. Je pense que lui faire confiance n'était peut-être pas l'idée du siècle.

— Je prends pour moi cette douce remarque et je m'occupe du texte.

— Ne serait-ce pas l'occasion à saisir pour le refuser ? Il est tout de même très fragile, non ? Cette histoire d'ados crispés. Qui est-ce qui l'a lu ?

— Tu voudrais avoir dit oui à une jeune auteure et reprendre ta parole ?

— Elle ne risque pas de nous faire grand mal.

— Peut-être pas toi, mais moi, j'aurais la honte de ma vie…

— Dois-je noter cet échange confiant et édifiant ? demande Sabine.

— Note, bien sûr ! C'est parler d'or. Je vais m'en occuper personnellement de ce texte et nous allons faire un joli livre qui aura le prix du premier roman, qui entrera dans toutes les rubriques « Les nouveaux venus » des magazines, qui entrera doucement en librairie et sur les sites. Rien d'extraordinaire. Parlons du Balmer nouveau. Marc, tu l'as lu ?

— Oui. Dieu sait que j'adore Balmer et que je suis toujours le premier à le défendre, mais là, franchement, j'ai été déçu. Je suis triste d'être déçu, mais franchement, cette histoire de bateau perdu dans le Grand Nord, même avec de jolies filles à bord…

— Moi, il m'intéresse, dit Meunier, contre toute attente. Dis-moi que les scènes avec le chien ne t'ont pas fait rire. Et puis cette construction comme une partie de dominos, je trouve que c'est bien trouvé. En tout état de cause, nous comptons sur Balmer. Au rythme où les choses évoluent, nous allons avoir besoin de lui bien vite.

— Tu me permettras quand même de préférer son roman d'amour ou même ses petits textes sur le radeau de *La Méduse*.

— Qui d'autre l'a lu ?

— Moi, je l'ai lu, dit Sabine en cessant de prendre des notes. Mais je ne fais pas partie du comité.

— Ce qui ne t'empêche pas de donner ton avis…

— J'aime mieux ses romans d'amour, parce que j'aime les romans d'amour, surtout celui avec la petite blonde en Irlande, mais je trouve sa nouvelle histoire marrante et je trouve que c'est une bonne idée de secouer son lecteur de temps en temps.

100

— Tu le publierais ?

— Sans la moindre hésitation.

— Et toi, Marc, c'est un non mais ou un oui mais ?

— C'est un oui, bien sûr.

Je suis heureux que cet échange se fasse sans moi. L'issue ne fait aucun doute, mais je préfère que la décision ne vienne pas directement de moi. Balmer est mon ami et je pense que ne pas le publier serait, quoi qu'il arrive, une grave faute.

16

Quand un auteur a du succès, tout le monde souhaite qu'il refasse le même livre : les lecteurs, les marchands, l'éditeur (surtout s'il s'en défend), il n'y a guère que l'auteur qui hésite parfois. Éditer une œuvre est tout autre chose qu'éditer un collier de livres en forme de perles. Une œuvre a ses temps faibles, ses mystères qui s'éclaircissent au fil des textes, ses enfoncements qui peuvent être définitifs. Elle peut aussi s'arrêter. Néanmoins certains auteurs trouvent le moyen d'écrire toujours le même livre et de faire pourtant une œuvre.

Que peut bien me vouloir ce matin Geneviève, à qui je n'ai plus adressé la parole depuis une indigeste sole ? En sortant du bureau nous tournons à gauche.

— Où m'emmènes-tu ?
— Il faut faire un peu de marche, ma chère ; Mme Martin a fermé boutique. Mais avec tes grandes jambes, je suis certain que cela ne te fait rien

d'arpenter un peu le quartier avec moi. On va même passer devant chez ton nouvel éditeur !

— Tu imagines pourquoi je veux te voir ?

— Laisse-moi deviner. Pour le plaisir de payer la note de restaurant ? Si tu es d'humeur câline, c'est pour remuer ton couteau dans ma plaie ? Peut-être pour garder un fer au chaud au cas où tu aurais des ennuis un jour prochain ? De la vieille grande et glorieuse Geneviève, j'attends tout et le reste ! Entre, c'est ici.

Le bistrot est un bistrot façon bistrot, entièrement construit de neuf à l'authentique. La cuisine doit être compotée à cinquante kilomètres de là et trempée dans l'eau chaude ou mise à vibrer dans l'onde…

Je prends juste un peu plus de temps qu'il ne faut pour consulter la carte. Je veux consommer Geneviève bien marinée. Je fais long, mais spartiate : salade de tomates, cabillaud. Pour marquer mon humeur. Elle ne s'y trompe pas.

— Tu es vraiment fâché, alors.

— Que cela ne te prive pas de pâté de canard et de civet de lièvre.

— Brouilly ?

— Pourquoi pas un petit bordeaux ? Un graves, par exemple.

— À ce point ?

— De toute façon, nous risquons fort de mal manger. Dès lors…

— Voilà, je n'attendrai pas le dessert. Je voudrais que tu lises mon manuscrit.

— Celui pour Brasset ? Tu te fous de moi.

— Non. Je l'ai fini. Ils l'ont lu ; ils vont l'imprimer et je ne peux pas imaginer qu'il va paraître sans que tu le lises et que tu me dises ce que tu en penses.

— Je n'en pense rien.

— Tu ne peux pas refuser.

— Je ne comprends pas : je n'ai jamais changé un traître mot dans tes textes. Je n'ai jamais rien eu à redire, je ne t'ai pas fait retoucher le moindre paragraphe. Je ne me souviens même pas de t'avoir fait changer la couleur de cheveux de tes héroïnes blondes. Et pourtant… Tu as prouvé trente fois que tu es capable d'écrire un livre !

— J'ai besoin que tu le lises. Imprimé, tu ne le liras pas, et je ne pourrai pas aller le vendre si tu ne l'as pas lu.

— Je n'ai pas besoin de le lire. Premièrement, parce que je sais ce qu'il y a dedans et deuxièmement, parce que j'ai *Albertine disparue* qui m'attend.

— Il est comment ton cabillaud ?

— Devine. Je te préviens que si tu insistes, je te le fais goûter ! Arrête de pleurer, une grande fille comme toi.

— Mais non, tu me fais rire au contraire. Regarde-moi ce civet…

Elle soulève un morceau de viande avec sa fourchette et me le tend. Je le mange.

— Pas mauvais. Est-ce que tu serais capable d'écrire le contraire de ce que tu écris ? De sortir de ton moule pour tenter autre chose ?

— Je n'ai jamais vraiment essayé.

— Est-ce que tu penses que tu serais capable d'y penser ?

— Qu'est-ce que tu veux dire, au juste ?

— Je vais t'envoyer Mom et Grégor. Ils t'expliqueront.

Je crois que je me suis assoupi sur mon bureau. C'est la faim qui me réveille ; après un déjeuner pareil, ce n'est pas étonnant. Rien ne passe plus vite dans le sang que la tomate et le cabillaud. Un vrai sprint. Je vais téléphoner à Adèle pour l'inviter à dîner quelque part. Elle aura une idée. Vu l'heure, elle doit accompagner le gros Bouchut à France Culture. Il va encore vendre des caisses de bouquins, celui-là. Si seulement je savais ce que j'ai foutu de mon portable... Depuis que mon bureau est désert, je ne retrouve plus rien. J'ai dû le fourrer sous ma liseuse.

On frappe tout doucement à ma porte. Je me fige dans un sourire. C'est la tête de Valentine qui passe.

— Ah, te voilà, toi ! Tu es enfin venue faire tes adieux. Je me doute que ce n'est pas très commun chez les rockeurs, mais dans l'édition, ça se fait encore.

— Adieu !

— Reste ! Assieds-toi là, c'est un ordre.

Elle porte un pantalon sans trous et un pull sans rayures avec un gros peigne jaune vif planté dans les cheveux.

— Alors, ce guitar hero, il t'a embarquée pour de bon ? T'es devenue roadie ?

— Non, pas vraiment. Il était un peu trop hero et pas assez guitare, si vous voyez le genre.

— Non, je ne vois pas, mais j'imagine sans peine. Et à « Sceaux Watts », ils te gardent ?

— Non plus. C'est moi qui ne les garde pas. Ils m'ont rendu un grand service alors je ne leur en veux pas.

— Tu as gagné un paquet ?

— Medium, mais ils m'ont bien testée et je crois que je suis assez accro au livre. Je voulais vérifier.

— Ce qui veut dire que tu reviens par ici ?

— Par ici ou plutôt au coin du bois, si vous voyez ce que je veux dire.

— Je vois très bien ce que tu veux dire en général. Je suis assez soulagé parce que c'est toi qui vas te taper le manuscrit de Maud, en fin de compte. Il m'était retombé dessus, comme par hasard.

— C'est aussi parce qu'elle était tellement contente quand je l'ai appelée que je suis revenue. J'y ai pensé tout le temps. Je me disais : « C'est toi qui l'as lue. »

17

— J'ai de la bière, cette fois !
— Merci, je préférerais un peu de vin.

Elle tire sa jupe sur ses genoux, comme pour se faire pardonner de la porter trop courte. Ses jambes n'ont pourtant rien à cacher.

— Je me suis éloignée également parce que je voulais voir comment les garçons allaient réagir. Ils ont continué à avancer. C'est rassurant. Ce sont eux qui ont trouvé le nom. Il vous plaît ?
— C'est plus encourageant que « Fin de partie ». Non, il est très bien et très gentil de surcroît.
— On a déjà travaillé, mais on attend un peu pour livrer un bon paquet. En ce moment, moi, je m'occupe des auteurs électroniques par anticipation. Je fouille pour trouver des textes qu'on pourrait adopter : assistance à la lecture, extension par des jeux. Alphonse Allais, l'Oulipo, Tardieu. Des gens comme ça. Et puis on travaille sur des choses nouvelles. On cherche des auteurs.

— Une sorte de vieux métier, en quelque sorte…

— Oui, et c'est pour cette raison que je voudrais des réponses à mes questions.

— J'ai gardé ta liste, là dans mon tiroir. Pour l'essentiel, elles n'appellent pas de réponse. Elles sont efficaces en tant que questions. On avance plus par questions que par réponses.

— Tout de même…

— Une seule chose : tu t'inquiètes de ne pas savoir reconnaître la littérature dans les manuscrits que tu lis. Tu as peur de ne pas avoir assez de culture, peur de ne pas connaître tous les grands textes, tous les grands mouvements, peur de passer à côté de l'essentiel, de rater la perle rare. Toutes ces peurs-là sont inévitables et elles t'accompagneront toute ta vie. Rien ne peut les chasser, puisque personne ne pourra jamais couvrir le champ que tu décris et que tu estimes nécessaire pour faire bien ton boulot. Ce qui doit te rassurer, c'est que tu n'es pas la gardienne de la littérature. Les auteurs eux-mêmes n'en sont pas les gardiens. La littérature n'est pas un a priori qu'on met dans le texte, elle est une œuvre collective a posteriori extrêmement complexe. L'auteur y met du sien, certes, l'éditeur pose sa marque, sa collection, bien sûr, mais ensuite, la presse, les libraires, l'Université, l'école élémentaire et secondaire, les lecteurs, décident. Et ils ne sont pas d'accord, ils changent d'avis et la littérature ne cesse de modifier son champ et ses formes. Des auteurs que l'on croyait disparus reviennent, certains que l'on croyait installés pour toujours disparaissent. Reste un noyau dur sur lequel tout le monde est d'accord, mais que tout le monde n'aime pas.

— Proust ?

— Proust, Balzac, Racine, Molière, Zola… Tes profs te les ont fidèlement débités en tranches fines pendant toute ta scolarité. Ce qui ne veut pas dire qu'ils ne soient pas géniaux, d'ailleurs. Ce serait trop simple.

— Mais qu'est-ce qu'on peut faire pour limiter le risque de se tromper ?

— Lire, bien sûr. Tout, tout le temps. Et puis aimer très fort. Si tu aimes très fort le texte que tu publies, il a déjà fait un pas vers sa première éternité.

Elle tire machinalement sa jupe sur ses genoux, boit une gorgée de vin rouge. Elle a une façon très personnelle d'être attentive. J'aime son mélange de fausse naïveté et de fausse assurance. À moins que les deux ne soient vraies.

— Il est parfois difficile de décider si on aime vraiment.

— L'effort sur soi-même mérite d'être fait. Cela aide également à résoudre un autre problème que tu te poses : « Comment dire oui ? » Tu en as fait l'expérience et tu sais que cela ne présente pas la moindre difficulté. C'est le « non » qu'il faut apprendre. Le choix est plus rentable. Notre travail se résume aussi à trois mille « non » pour un

« oui ». Assez de réponses ! Comment tu le trouves, ce côtes-du-rhône ?

— Je n'y connais rien. Il a l'air doux et très rouge. Il monte à la tête, aussi. C'est passionnant ce qui se passe en ce moment. Des choses changent. Je suis contente.

— Allez, je te vire. J'ai faim et il faut que je rejoigne Adèle.

— Je vais dîner avec Maud, *ma* romancière.

— Copine-copine ?

— Je ne sais pas.

— Elle est sympathique ?

— Je ne sais pas.

Elle disparaît en tourbillon par la porte ouverte du bureau, s'arrête sur le pas de la porte, se retourne pour m'adresser un signe de la main. Je finis mon verre à sa santé. Je regarde enfin le parapheur posé sur mon bureau depuis la fin de l'après-midi, et, sans raison, je me dis que c'est ma lettre de licenciement qui se trouve à l'intérieur. Je tends la main lentement, je retiens mon souffle comme si cela avait la moindre importance, je soulève le coin de la couverture cartonnée comme un joueur de poker soulève ses cartes, je jette un œil, je devine… Ce sont des lettres de refus que Sabine m'a préparées. « Merci de m'avoir adressé… C'est très bien, mais… au plaisir de vous relire à l'avenir… » Je les signe en m'appliquant à bien écrire mon nom sous mon non. Suis-je soulagé ?

— Adèle, j'ai faim.

— L'émission est presque finie. Tu l'écoutes ?

— Pas vraiment. Il est bien, ton Bouchut ?

— Parfait. Comme toujours. Il aurait fait un malheur du temps de Pivot, celui-là.

— Épargne-moi tes vieux amoureux, s'il te plaît.

— J'aurais bien aimé. Qu'est-ce que tu veux manger ? J'ai rien à la maison.

— Je voudrais manger un requin ou une vache, je m'en fiche. Mais assez vite. Tu n'es pas trop crevée ?

— Dès que l'émission est finie, je passe aux toilettes, c'est un bon lieu de réflexion et je te rappelle tout de suite avec une idée lumineuse. Fais ton cartable pendant que je me peins : je vais mettre du rouge sur mes lèvres, du noir autour de mes yeux, et sur mes mains une noisette de crème.

18

J'ai décidé que ce week-end serait sans lecture. La liseuse est restée noire au centre de mon bureau et je n'ai pris aucun manuscrit. Je veux me reposer les yeux et rêvasser méthodiquement. Je n'ai pas pris non plus la liste des premiers projets d'« Au coin du bois ». Je ne suis personne aujourd'hui et je promène mon corps le long des sentiers comme un chien familier au bout d'une laisse. Parfois, je tire dessus pour accélérer le pas ou reprendre le droit chemin. La campagne ressemble terriblement à la campagne, il y a des feuilles aux arbres, de l'herbe dans les prés, une vache sous un pommier, du vrai silence de campagne, quelques rares remuements de ferme et une épaisse tartine d'ennui vert posée à même le sol. Je marche d'un pas calibré en fléchissant légèrement le genou à chaque foulée comme l'idée ne me viendrait jamais de le faire en ville. J'aurais bien trop peur de ressembler à Groucho Marx. Je m'étais promis d'aller jusqu'au ruisseau qui coule au fond du vallon, accrochant aux herbes des haillons d'argent, mais je ne m'en sens plus le courage. La tentation est grande d'emprunter la coursière en direction du village.

J'ai mis un chapeau cabossé que j'ai trouvé pendu à une patère dans le garage et je voudrais tant croiser quelqu'un pour pouvoir le lever avec déférence, mais il n'y a personne. Je me demande en effet ce que l'on peut bien faire à cet endroit et à cette heure. Deux ou trois villas éparses me confirment que je suis sur le bon chemin et que je me rapproche des espaces habités. Autour de ces maisons, on ne voit pas âme qui vive mais on devine les feux intérieurs, les ardeurs mauriaciennes qui agitent silencieusement les bourgeois des champs.

Le village est désert. Sans doute est-il tôt. Seuls un marchand des quatre-saisons et une fromagère montent leurs étals pour le marché. Ils font des allers et retours silencieux entre la place et leurs camionnettes. Je leur adresse un coup de chapeau auquel ils rendent un coup de tête. Au bistrot, je reste debout, accoudé au bar pour boire un café et résister à un calva. Le patron est en discussion avec un marchand qui se plaint du projet sans cesse repris et jamais exécuté de changer le jour du marché.

Je vais moi-même chercher un croissant à la boulangerie et comme j'hésite, je prends aussi une part de flan. Je reviens les manger au comptoir. Je mange lentement, mâchant chaque bouchée jusqu'à en épuiser le goût. Je picore les moindres miettes. Je commande un autre café pour faire glisser. Tout cela me tue bien une dizaine de minutes. Le gros titre du journal, posé sur le comptoir, parle d'inondations et de changement climatique. On y voit également la photo d'une paire de boulistes qui ont gagné un tournoi. Je me dis que je devrais jouer aux boules. C'est une activité rassurante parce que toujours recommencée et stimulante parce que toujours imprévisible. J'ai déjà le chapeau, il ne me manque que l'adresse.

Le boucher me prévient bien qu'il me donne de la poire uniquement parce que c'est moi. Il préférerait de loin me fourguer un de ses rôtis fourrés à l'emmenthal et au perlimpinpin, alignés comme des militaires dans sa banque froide avec des moustaches de persil. En parant mon morceau, il me donne toutes les nouvelles du village qui tiennent, même répétées deux fois, en cinq petites minutes.

Au passage, je prends sur la place un sac de topinambours, une baguette de pain frais.

— Déjà ! s'étonne Adèle. Je croyais que tu voulais faire un grand tour.

— Mais j'ai fait un grand tour.

— Tu ne vas pas me jouer le coup de vouloir déjeuner à onze heures et demie.

Ensuite, elle ne me dit plus rien, sauf, de temps en temps : « Tu as l'intention de me tourner encore longtemps dans les pattes ? » J'ai épluché les topinambours qui sont dans l'égouttoir, prêts à cuire. Adèle lit dans le canapé, un pashmina sur les épaules. Elle a l'air plutôt bien ce matin.

Je fais deux fois le tour de la table basse, les mains nouées dans le dos, je dessine une boucle par la cuisine, bois un verre d'eau, ouvre une bouteille de vin et m'arrête soudain devant la bibliothèque. « Tiens, me dis-je, je vais lire un peu. » Attention, pas travailler, juste lire un peu pour me ré-étalonner. À force de lire des manuscrits on perd ses références. Les chances de lire un chef-d'œuvre sont quasi nulles, celles de lire un bon texte sont plus nombreuses, mais pour être certain qu'un texte est bon, il faut le lire au niveau des maîtres et pas au niveau des autres bons manuscrits. Comme cela je respecterai ma décision de ne pas lire et de me reposer les yeux tout en me rafraîchissant le regard. Cela me frappe comme une excellente idée. Je parcours les titres pour faire le bon choix. Dans mon dos, je sens le regard moqueur d'Adèle. Je suis certain qu'elle a posé son livre ouvert sur ses genoux et qu'elle me regarde avec un sourire en coin.

Je prends *L'Instant fatal* de Queneau et *Bel Ami* de Maupassant. Aux deux bouts du spectre. L'un inimitable, l'autre trop imité. Deux Normands. Un espace du dedans, un espace du dehors. La métaphysique et le monde. Le doute et la certitude. L'inquiétude partout. Deux textes dont je peux réciter des pages et que je vais lire alternativement, un poème, un chapitre, lentement, pour devenir mou comme un topinambour dans un jus de viande.

Je vais prendre la moitié de canapé qui me revient. Adèle fait semblant de lire. J'ouvre les deux ouvrages sur mes genoux, l'un sur l'autre. Il me suffit de les faire glisser pour passer de Maupassant à Queneau. Mon clic à moi.

19

— Balmer, au rapport !

— Oui chef, bien chef !

— Alors, qu'est-ce que tu en penses ?

— Je ne comprends pas tout, mais c'est marrant. Il y a deux choses positives : ils ont le goût du texte, ils le connaissent et puis ils sont dans le jeu, qui est à coup sûr le plus court chemin vers le public.

— Tu dis qu'ils sont du côté du texte, mais ce n'est manifestement pas le même…

— Tu ne le voudrais pas, vieux croûton ! Et à y regarder de près, il n'est pas si éloigné. J'aime bien l'idée de Valentine, les écrivains électroniques par anticipation. C'est un mode de relecture de centaines de textes selon une grille technique et ludique qui les fait sortir du papier pour réaliser des potentialités intéressantes. Pour tout te dire, moi, ça me donne envie et je pense que je ne suis pas le seul dans ce cas.

— Je vais m'y mettre !

— Tu fais quoi au juste ? Tu mets beaucoup de billes ?

— Non, ce n'est pas très coûteux. Mes économies, disons. Je n'ai pas besoin de chercher de partenaire pour l'instant. Je travaille pour eux, pas vraiment avec eux, parce que j'en suis incapable, mais je signe des contrats plus ou moins imaginaires avec des gens improbables. Je donne des conseils quand on m'en demande... En vérité, je m'amuse de voir comment le goût du texte se transmet.

— Ce qui me plaît, c'est que le mouvement part des auteurs et pas des tuyaux. Meunier me racontait sa future usine et il semble ne voir que le texte tel qu'il est et les moyens de l'enfoncer de force dans des tubes. Coûteux, les tubes.

— Tu as signé ton contrat ?

— Oui.

— Tu sais que ton texte a fait débat au comité ?

— Je m'en doute. Il n'est pas tout à fait conforme. Il fait débat avec moi-même ! Je ne suis pas très serein. Je me demande comment les lecteurs vont réagir, s'ils vont me suivre ou s'ils vont me larguer. Pour être franc, je ne vois pas comment je pourrais le modifier.

— On peut toujours, mais personne ne te demande de le faire. Je te dis seulement que s'il y a débat au comité, il peut y avoir débat dehors. Tu viendras en parler aux représ, n'oublie pas. Cette fois, je pense que c'est vraiment indispensable.

— Pas de problème.

— Tu ne pars pas sans emporter le dernier Hautement qui est tout chaud. Et tu le lis !

Meunier n'est pas content du tout. Il me le fait savoir haut et clair depuis la porte de mon bureau. Valentine est revenue, mais il est hors de question de la reprendre. La maison n'est pas un moulin, les stagiaires n'y font pas la loi, elle n'est pas indispensable, il faut faire un exemple. Et puis, est-ce que tu leur as seulement parlé ?

Sabine boude. Elle prend le parapheur signé et en pose un tout frais à sa place sur le bureau. Son visage est fermé et elle ne me gratifie ni de son sourire ni de son entrain habituel.

— Quelque chose qui ne va pas, Sabine ?
— Non, pourquoi ? Tout va bien. La maison tourne, les affaires marchent, les projets abondent et le livre de Geneviève, chez Brasset, est mis en place à 120 000. Le film est déjà signé avec Romain Duris. Tout roule. Pendant ce temps, nous, on se demande si on va reprendre ou pas reprendre une stagiaire !
— Vous avez lu le roman de la petite Maud ?
— Il est pas mal, c'est vrai. Touchant, drôle à ses heures, assez chick-lit pour plaire aux filles. On va en vendre au moins 500 !

Dans ces cas-là, je ne discute pas avec Sabine, parce qu'elle a raison et quand elle a raison, elle a tellement raison qu'elle devient une sorte de forteresse impénétrable. Je sais, grâce à elle, qu'il faut que je trouve un auteur célèbre, pas cher, prévenu, talentueux, aimable (avec Sabine), fidèle, productif, régulier, peu buvant, modeste, amusant, beau garçon, propre sur lui et qui ne descende jamais en dessous de la barre des 300 000 exemplaires. C'est mon métier après tout.

Adèle est fatiguée, elle est restée à la maison. Je l'entends tousser au téléphone.

— Je vais venir déjeuner avec toi si tu veux.
— Je veux. Je voulais te dire aussi que j'ai réfléchi ce matin et que j'ai vraiment l'intention de rencontrer l'équipe d'« Au coin du bois ». Après tout, je suis propriétaire d'un morceau de la boutique et j'aimerais les rencontrer. Mais surtout, tu leur dis bien que j'y connais rien. Je veux pas passer pour une idiote.
— Je vais t'apporter le Hautement qui vient de sortir. Il est majuscule.
— Tu sais la hauteur de la pile de ce que j'ai à lire à mon chevet ? Qu'est-ce que je leur raconte, aux journalistes, moi, si je ne les ai pas lus, ces bouquins ?
— Tu lis le résumé : « C'est l'histoire d'un mec... »
— Et c'est *toi* qui me dis ça !
— C'est moi.

20

La réunion des représentants est une incontournable messe. J'en ai célébré quelques centaines et autant les grandes foires, au fil du temps, m'écœurent, autant j'aime toujours ma réunion des représentants. Elle est le premier maillon de la chaîne des malentendus.

J'aime les représentants, des gaillards qui chaque matin tournent la clef de leur Peugeot diesel pour aller vendre des livres alors qu'ils pourraient tout aussi bien aller vendre autre chose, vendre par exemple des choses dont tout le monde a besoin et sur lesquelles il n'y a rien à dire. Et ils ont choisi le livre, dont peu de gens ont besoin et que l'on doit bonimenter à l'infini jusqu'à ne plus savoir au juste de quoi on parle.

Ils ont du courage, ils aiment les livres et ils aiment même les libraires qui n'ont pas assez de temps à leur consacrer, qui gémissent sur la longueur des listes de titres, qui ploient sous le poids de la manutention des offices et des retours. Ils sont le rouage mobile de la machine folle qui vend les livres.

On aime bien les voir venir deux fois l'an à Paris. Ils mêlent l'accent ch'ti et l'accent du Midi, ils brassent l'Alsace et la Bretagne, ils mélangent le champagne et le bordeaux. On les nourrit, on les abreuve et on leur déverse une quantité de bonnes paroles dont ils retiendront une phrase, une idée, un visage, et qu'ils iront transporter chez les marchands. Les dés sont jetés, ils ont des objectifs et ils ont du métier, ils savent en gros ce qui attend tel ou tel livre, mais, à la marge, ils ont un pouvoir. Il leur arrive de faire un écart décisif pour un titre, de s'enflammer, de convaincre. C'est cet écart-là que les auteurs et leurs éditeurs viennent chercher devant eux. Ils défilent pour réciter ce qui sera la bible du livre, son identité minimale : « C'est l'histoire d'un mec, il rencontre une fille, mais… »

La petite Maud tremble de peur. Elle est fragile dans sa modeste robe à fleurs qui lui donne un air de province. Elle ne sait vraiment plus ce qu'elle a écrit dans ce roman qu'elle tient entre ses mains et qu'elle feuillette au désespoir de le faire parler. Valentine, assise à côté d'elle, récupérée in extremis par Meunier (je le paierai), n'est pas en situation de l'aider. Elle est sa jumelle noire qui bafouille en mesure.

À bien les regarder et à constater la bienveillance amusée des représentants soudain tirés de leur indifférence postprandiale, je pense qu'elles sont en train de faire un malheur. On

dirait des Modianettes. Je mets fin à leur sup-
plice pour les laisser pleurer en coulisses sur leur
maladresse et sur la mort annoncée de leur bébé,
cependant que les représ sourient et déjà jettent
un coup d'œil au livre. La photo de la petite est
derrière. Elles sortent en trébuchant.

Balmer est un briscard. Je le présente pour la
forme, mais tout le monde le connaît. Il a tourné
dix fois en province et il sait les prénoms de la
plupart des gars.

— Tu es nouveau, toi ? Tu fais quelle région ?
— J'ai remplacé Thierry, en Bretagne.
— Tu embrasseras Kermarec de ma part.
— O.K.

Balmer raconte sans détour, il a confiance. Il
ne pose pas à l'écrivain. Il raconte qu'il a la trouille
avec ce bouquin-là. Il en dit quelques mots sans
insister.

— Je sais que vous êtes écrasés, mais si vous
avez l'occasion d'y jeter un coup d'œil, je serais
heureux de savoir ce que vous en pensez. Mettez-
moi un mail.
— Tu penses venir en région lyonnaise ? Passages te prendrait bien en signature.
— Si le livre démarre, je ne dis pas non. Hein,
Robert ?
— Bien sûr, si vous pensez tous que c'est utile,
il tournera.

Lorsqu'il disparaît derrière le rideau noir et que Hautement lui succède, on change d'univers. Hautement est un peu comme son nom l'indique. Il finira à l'Académie. Il est impeccable, clair, professionnel jusqu'à la virgule. Il résume son texte, aligne ses intentions, les transforme en arguments de vente, replace ce texte dans la suite de ses livres, rappelle les performances de chacun d'entre eux et confie ses espoirs qui sonnent clairement comme des objectifs. J'ai fait mon boulot, messieurs, à vous de faire le vôtre.

Je suis presque obligé de prendre la parole derrière pour humaniser un peu l'affaire et surtout souligner que le livre est de toute première qualité, bien plus déchiré que le discours ne le laisse paraître.

Et c'est au tour de Meunier qui vient présenter ses auteurs et annoncer le lauréat du concours des meilleures ventes du semestre — celui qui partira huit jours en Crète. Rendez-vous ce soir au Crazy. Une vraie vie d'éditeur.

21

— Je suis désolée, on a été archinulles. Quand j'ai vu qu'elle paniquait comme ça, j'ai pris la tremblote moi aussi et j'ai perdu tous mes moyens. Déjà que j'en ai pas beaucoup. Nous avions pourtant bien répété, je vous le promets. Tout le matin. J'avais préparé les questions, elle savait ses réponses par cœur, et puis quand on les a vus tous devant nous, à moitié attentifs… ils avaient l'air gros et pas gentils.

— Ils sont costauds les représ, attention ! Tu ne vas pas te remettre à pleurer. Tu apprendras et Maud apprendra aussi. C'est vrai que vous n'avez pas fourni une prestation bien terrible et qu'il fallait être voyant pour deviner ce qu'il y avait dans le bouquin, mais il leur arrive de lire !

— J'ai honte. C'était à moi de la rassurer ou de raconter à sa place, mais je ne me souvenais plus de rien. Je crois que je ne suis pas faite pour ce métier.

— Disons que tu as quelques progrès à faire

dans les présentations aux représentants. Nous serons plus proches de la réalité.

Elle se tamponne les yeux et lâche un large sourire. Du bout des doigts elle pousse la porte de mon bureau qui se ferme en douceur.

— J'ai une bonne nouvelle aussi.
— Vraiment bonne ?
— Vraiment bonne. Le Clézio va nous faire une sirandane par jour pour les iPhones. On donnera la solution le lendemain.
— Le Clézio ?
— Oui, Le Clézio, le beau monsieur écrivain qui a gagné le prix Nobel. Le Mauricien blond.
— Comment tu as eu Le Clézio ?
— Je lui ai demandé un rendez-vous, je l'ai rencontré, je lui ai demandé ce que je voulais. Il a réfléchi un moment. Il m'a dit oui et il m'a demandé de quelle origine j'étais.
— Étoile errante…
— Il est très aimable.
— Tu n'es peut-être pas encore très forte avec les représentants, mais avec les auteurs, les choses vont plutôt bien.
— Je lui ai dit que vous l'appelleriez. Ça vous ennuie pas ?
— Bien sûr que si. Tu penses.

Elle est contente de son coup. Elle en oublie de tirer sur sa jupe. Pour un peu, on jurerait qu'elle a grandi. Elle me regarde droit dans les yeux et tout en elle rigole.

— Et qu'est-ce que c'est exactement que tu veux faire avec lui ?

— Des sirandanes. Des devinettes de chez nous que les vieux posent aux petits. Le Clézio les collectionne. Je suis sûre qu'il en invente aussi. Elles sont trop belles. Je te donne un exemple : « Celui qui le fait le vend, celui qui l'achète ne s'en sert pas, celui qui s'en sert ne sait pas qu'il s'en sert. » Qui suis-je ?

— ?

— Le cercueil ! L'idée, c'est de lui demander de faire une petite présentation de quelques lignes et de poser la sirandane. Le lendemain on donne la réponse et on pose la nouvelle. On met quelques dessins malgaches, comme les broderies qui sont sur les nappes pays, on ajoute sa photo pour les filles et ça fait une jolie petite appli. Les lecteurs s'abonnent et ils reçoivent leur texte chaque matin.

— C'est cher ?

— Mais non, quelques euros. Mais ils seront nombreux. Peut-être qu'on mettra les textes en créole avec la traduction. Qu'est-ce que tu en penses ?

— Qu'est-ce que ça donne ?

— « Mo zet li anler, li tonm anba ; mo zet li anba, li mont anler. » « Je la jette en l'air, elle tombe en bas, je la jette en bas, elle monte en l'air… »

— ?

— « Boul lastic » ! La balle en caoutchouc !

— C'est encore mieux. Tu as un bel accent. Bien sûr qu'il faut mettre le créole. Tu doubles la devinette. Devinez la devinette et la devinette cherra…

—Je suis contente.

—Tu peux.

—Je voudrais boire.

—Vin rouge.

J'ouvre le placard secret, je prends le temps de choisir et je nous tire un pommard 2005 comme on n'en boit pas dans les îles. Je l'ouvre du bout du tire-bouchon. Je le verse avec attention et mesure et nous dégustons. C'est du vin à manger.

— Nous avons vu la Geneviève en question ! Elle nous a appelés de ta part.

—Je lui avais proposé de le faire.

— Elle, elle a vraiment rien compris du tout. Mom a essayé de lui expliquer, mais il est trop nerveux, trop dedans et il la mettait mal à l'aise. J'ai tout repris lentement et j'ai eu l'impression qu'elle ne voyait pas où on voulait en venir — peut-être qu'on va nulle part aussi ! J'avais lu tous ses livres avant de la voir et j'avais trouvé ça vraiment formidable, alors je le lui ai dit et, en parlant de son travail, j'ai pu lui expliquer mieux. Je pense qu'elle n'a pas tout saisi, mais je crois bien qu'elle va nous faire un petit feuilleton à sa façon. Mille signes par jour avec des rebondissements.

— Il n'y aura que des rebondissements, à ce compte-là.

— Boul lastic ! Je voudrais encore de ton vin, il est épais, on dirait de la crème.

22

Le médecin a pensé qu'Adèle pourrait faire
son profit de trois jours de repos. Adèle que les
salons de thé reposent, a choisi le soleil de Londres. Elle affirme que c'est un endroit où elle
peut se poser, que rien là ne la pousse à trépi-
gner ou à s'activer et que le piétinement de la
ville n'est pas, pour elle, contagieux. De plus, ce
n'est pas loin tout en étant parfaitement ailleurs
et le train qui s'y rend à la grande vitesse est d'un
jaune rassurant.

C'est pour cette raison qu'elle est lovée en
face de moi dans le fauteuil profond d'une
chambre en peluche d'un hôtel de South Ken-
sington où les carreaux se battent avec les fleurs,
où la moquette disparaît sous les tapis, où les
rideaux masquent d'autres rideaux créant une
atmosphère de neige. Un tableau au-dessus du
lit représente une chasse au renard, des chevaux
y sautent par-dessus des barrières. Elle est fatiguée et ferme les yeux, la tête reposée sur le
coussin du fauteuil. Ses épaules sont nouées de

châles et je sais qu'elle est tout occupée à fabriquer de la chaleur.

Je mène une guerre sans merci à la télécommande pour atteindre BBC World News sans le son. Souvent, ces images-là suffisent.

Dans son presque sommeil, Adèle me donne rendez-vous pour un fameux thé qu'elle affectionne et que l'on prend vers 17 heures dans les hôtels chic du côté de Picadilly. C'est sa manière délicate de me congédier et de m'encourager à lui foutre la paix. Je la comprends à mots entiers, j'enfile mon imperméable, je prends ma liseuse et je disparais à pas feutrés dans les hautes laines des corridors.

On jurerait que le métro de Londres a honte de lui-même, il s'enfonce profond dans le ventre obscur de la ville et circule dans d'étroits boyaux noirs qui ménagent à peine la place des wagons. On y baisse instinctivement la tête de peur de se cogner. Il est bondé de filles en minijupes, talons hauts et hauts chignons qui rient trop fort et se chamaillent sous l'œil indifférent des Anglais et des sikhs en turban. Je feuillette *The Guardian* sur ma tablette et ma voisine le parcourt discrètement avec moi, avec un air d'indifférence non coupable qui m'amuse. Je lui demande si elle a fini et si je peux tourner la page. Elle est choquée.

Ma rue à Londres, c'est Charing Cross. Les librairies de la ville ferment partout, une à une, méthodiquement et plus vite que les pubs, le paysage du livre est dévasté, sauf sur Charing Cross.

Là elles ont poussé avec la pierre et sont incrustées dans les murs. Vieux bouquins, caves pornos, albums de rock défraîchis, médecine chinoise, librairie spécialisée en Conan Doyle avec Sir Arthur lui-même en devanture. Je le salue au passage et me dis que si je devais fumer la pipe ce serait le même modèle que lui, une belle pipe qui vous donne, en même temps que le plaisir de fumer, l'illusion que vous jouez du saxo. Mon objectif est d'atteindre le numéro 100 de la rue. À cette fin, je dois slalomer dans la foule, éviter les queues de spectateurs qui attendent aux caisses des théâtres, me tenir à distance respectueuse des triporteurs à pédales qui véhiculent les touristes vers Regent's Park, résister à la tentation de lire les hommes-sandwichs que l'on ne voit plus à Paris et qui vantent les mérites des comédies musicales du West End.

Au numéro 100 se tient une librairie très vaste et plutôt triste, moquette bleu-gris, tables éparses, littérature générale, bizness, jeunesse (un peu cachée), rois et reines, chick-lit, roman noir, frileurs et, près de la caisse, une pile d'un petit livre facétieux à couverture rouge qui raconte les habitudes de lecture de Sa Majesté, une pyramide de best-sellers américains, pas de littérature française contemporaine, ou si peu, pas encore de bacs à BD — la mode n'en est pas encore venue… Et puis au beau milieu, *la* machine. Elle seule est la raison de ma présence dans cet endroit gloomy qui vous attaquerait très volontiers au moral. Cette machine se nomme POD.

Elle ressemble à quelque chose entre une mois-
sonneuse-batteuse de petite taille et une énorme
photocopieuse. Print On Demand, POD. Il suffit, paraît-il, de vouloir très fort un livre et elle
vous le fabrique sur place, comme un cuisinier
japonais vous roule à vue un sushi.

Je tends fièrement à l'officiant ma liseuse en
lui pointant sur l'étagère virtuelle un petit livre
dont j'ai une copie secrète et dont il ne reste
plus un seul exemplaire sur le marché. Il apparaît que la liseuse peut également servir de cimetière et que les livres s'y donnent rendez-vous
après leur grand soir.

23

Il s'agit de *La Cinquantaine à Saint-Quentin* du bon Jacques Bens, un petit opus si parfaitement dépressif qu'il en est drôle, si parfaitement amoureux qu'il en est macho et si parfaitement écrit qu'il en est beau. Je veux en faire la surprise à Adèle par-dessus un verre de sherry.

Sans le moindre froissement de papier, sans même la complicité d'un câble, le texte coule dans la machine qui s'ébranle et qui, sans fumée ni tache d'huile, imprime l'ouvrage, l'encolle et l'habille d'une couverture pas particulièrement jolie mais qui ressemble à une couverture. Le papier a un toucher un peu ambigu, il est raide aux entournures, mais il s'agit bien d'un livre introuvable et soudain retrouvé.

J'acquitte une juste contribution et replonge dans la cohue de Piccadilly pour rejoindre Adèle dans les salons du Ritz. Là tout n'est que laideur, luxe, calme et volupté. Elle est déjà assise derrière un petit guéridon, sous un lustre de cristal, sa poitrine est creusée, on dirait qu'elle a perpétuellement froid. Elle picore une tranche de concombre posée sur une petite éponge beurrée qui va me coûter cinquante livres, et je sais qu'elle est heureuse de regarder les vieilles Anglaises qui se piquent le nez au porto en mangeant des gâteaux à la crème. C'est son péché.

Je m'assieds en face d'elle et, avec mon air le plus farceur, lui tends le Bens. Elle le regarde.

— Ah ça alors ! Il a fallu que tu viennes à Londres pour le trouver ! Depuis le temps…

— Sur mesure, ma chère, comme un costard de Saville Row. Je l'ai fait fabriquer en un exemplaire unique, réservé à ta seule personne.

— Comment ça ?

Je lui raconte le fonctionnement glorieux de la belle POD, tout en buvant un pouce de sherry, boisson qu'il ne me viendrait jamais à l'idée de boire à Paris, mais qui tombe ici sous le sens. J'en commande de suite un deuxième pour faire passer ces petits toasts parmi lesquels je viens de détecter une crevette sur un lit de mayonnaise rose sucrée du plus gourmand effet. L'odeur si particulière du thé de Chine fumé, le Lapsang Souchong, que boit lentement Adèle se mêle joliment au goût de mon sherry.

Ma femme a un programme : elle veut aller prendre une bière dans un pub à l'heure de pointe (y en a-t-il d'autres ?), voir une comédie musicale et enfin aller dîner au Red Fort, ce restaurant indien, tu te souviens, où on mange

des choses fines et bonnes pour les maharad-
jas…

— … et les maharadjates. Accordé.
— Tu as une idée pour le théâtre ?
— Je m'en fiche royalement. Je veux bien tout
voir, *Chicago*, *Mamma mia !*, *Avenue Q*, *Jersey boys*,
tout sauf *Les Misérables* parce qu'ils ont « oublié »
le nom de Victor Hugo sur les affiches.
— Ce sont *Les Misérables* de Plamondon, inculte
grincheux !
— Tu devrais goûter cette tartelette au cus-
tard, elle est franchement bonne et il faut tenir
le coup jusqu'à l'heure bénie par le curry.

J'ai réservé mon lendemain matin pour celle
que je considère comme la plus belle librairie
d'Europe. Celle de M. James Daunt à Marylebone.
La façade en est modeste, mais l'intérieur se
déploie en labyrinthe. On y circule de pièce en
pièce, chacune ayant son thème. Toute de bois
sombre, d'escaliers, de coursives et de livres,
anglaise jusqu'au bout des fauteuils de cuir.
Adèle rêvasse dans la longue pièce en contrebas
réservée aux livres de voyage. M. Daunt me
reçoit fort courtoisement, m'offre le tour du
propriétaire, m'explique les lois de circulation
qu'il a établies dans son établissement, et tout
ce qui semble être un joyeux désordre improvisé
se révèle être un parcours géographique de
haute précision. De même que le système de
réassorts qu'il a mis au point et dont il m'expli-

que les rouages sur un ordinateur proche de la caisse.

Adèle sort dans mon dos pour aller faire les boutiques de Marylebone. Au passage, elle me serre l'épaule.

À côté des tables de nouveautés il y a, en très bonne place, une table de classiques récents : Boyd, Coe, Zadie Smith, Monica Ali, mais aussi Ellis, Carver, Auster et Brautigan venus de l'autre côté de l'Atlantique. Tarun Tejpal aussi, Vikhram Seth, Aravind Adiga, venus de l'autre monde.

— Vous n'imaginez pas à quel point cette table tourne. Elle est unique en son genre. Mes librairies sont quasi les dernières de cette sorte à Londres. Nous ne pratiquons pas de discount, nous n'offrons pas de livre gratuit pour l'achat de deux, nous ne jouons pas le jeu du commerce, juste celui des livres. Et la clientèle apprécie.

— Et comment se fait-il que vous ayez si peu de littérature française ?

— Parce qu'elle n'est pas lue.

24

— Si elle n'est pas lue, c'est peut-être aussi parce qu'elle n'est pas proposée.

— Sans doute, mais c'est là une affaire d'éditeur, et je me garderai bien de le devenir.

Je retrouve Adèle, assise sur un pouf dans une boutique, une étrange chaussure bleue au pied droit, genre bottine à talon avec des paillettes. Elle la regarde d'un air hésitant.

— Tu crois vraiment que je les prends ? Si je vivais ici, je les porterais sans problème. À Paris, je me demande.

— Tu peux les prendre pour répondre à ta question, et si d'aventure tu ne les portes pas à Paris, nous reviendrons les porter à Londres.

Elle est fatiguée, fatiguée et contente, mais à peine installée dans le train du retour, je sens qu'elle est aussitôt regagnée par l'inquiétude de son travail. Elle veut la liseuse pour se plonger dans un texte dont elle doit vanter les mérites le lendemain au cours d'un déjeuner avec un critique. Elle n'a plus envie. La liseuse est allumée sur ses genoux, mais ses yeux sont déjà loin devant, dans le noir du tunnel.

J'ai dû faire une grosse bêtise, parce que lorsque j'arrive au bureau, les bras chargés de bouquins anglais, ils se précipitent tous sur moi. Meunier, Sabine et Emmanuelle, tous avec des têtes d'urgence et de catastrophe. Je pose mon chargement et je leur souris.

— Qu'est-ce qui t'a pris ? me demande Meunier.

— Qui m'a pris quoi ? où ? comment ? Je rentre de Londres…

— Tu ne vas pas me faire croire, en plus, que tu ne t'en souviens pas ! Ginette Perrault est furieuse. Elle s'estime offensée, maltraitée, humiliée et elle a raison ! Elle a même parlé de reprendre son texte, c'est dire ! Et je ne peux même pas lui donner tort.

— Qu'est-ce qu'il a, son texte ?

— Tu as vu comment tu l'as « préparé » ?

— C'est aussi un peu de ma faute, je dois dire, intervient Emmanuelle, j'étais à la bourre, comme toujours, et je ne suis pas vraiment repassée derrière. J'ai juste jeté un coup d'œil et je vous ai fait confiance parce que vous êtes très bon préparateur, contrairement à ce que vous dites, mais je dois reconnaître que vous y êtes allé un peu fort…

— Je ne me souviens plus. J'ai corrigé l'orthographe : vaches au pluriel ne prend pas « ent » à la fin, des trucs dans ce genre.

— Et puis-je savoir pourquoi tu as changé le nom de l'héroïne, par exemple ?

— Mais « Lisette », ce n'est pas un prénom ! « Simone » est quand même mieux, non ! Elle ne va pas gémir pour ça !

— Et pourquoi tu as supprimé toute une scène dans le jardin, juste après l'engueulade ?

— Elle était ni faite ni à faire, cette scène. Tu l'as lue ?

— Je te rappelle que nous avons accepté ce manuscrit et que nous nous sommes engagés à en faire un livre, pas un « autre livre ». Pourquoi as-tu changé la couleur de la robe ? C'est quoi ce violet qui est apparu à la place du vert ? De quel droit ? Jamais tu n'as fait une chose pareille, tu perds la boule !

— Il était moche ce vert.

— Pire encore, tu as *ajouté* des scènes, de ta main, au crayon rouge, dans le manuscrit d'un de nos auteurs. Des scènes comiques, en plus. « Alors Simone, qui n'en était plus à une près, décida de s'envoyer en l'air et visa droit à la braguette du principal, qui rougit et ne put retenir une érection qui illumina soudain la salle des professeurs » ! Dans un roman de Ginette Perrault ! Plus loin : « Foutre ! s'écria la jeune fille de bonne famille, foin des bouseux et de la brousse, je vais aller me faire voir en ville et m'acheter de la toilette pour séduire les femmes de mauvaise vie qui portent des smokings noirs. » Dans un roman de terroir !

— J'ai vraiment ajouté ce passage ? Il ne me semble pas très bien écrit, pourtant.

Et à cet instant-là, je me souviens parfaitement de cet après-midi de pluie à la bibliothèque. Ma veste humide peinait à sécher sur le dossier de ma chaise. Je me souviens qu'à un moment où la lumière baissait, fatigué de chasser les erreurs, je me suis demandé ce qu'allaient devenir les textes quand chacun pourrait entrer dedans sur sa liseuse pour les modifier à sa guise, changer la madeleine de Proust en petit-beurre Lu, parfumer la dame en rouge, tirer sur la jupe de Pauline Réage, ajouter ici et là quelques gags désopilants dans Bernanos, bricoler de petites choses, redresser une ou deux phrases, rebaptiser Mme Bovary en Adèle pour faire plaisir à sa femme. Je suis certain que je pensais effacer tout cela et puis j'ai oublié. Je suis trop moderne. Je suis en avance sur mon temps. Je suis incompris, aussi je pense qu'il est plus prudent que j'implore un pardon en confessant ma faute.

25

— Je ne sais pas ce qui m'a pris. Je devais penser à autre chose. Je me suis lâché.

— Si tu as envie d'écrire, il n'y a pas de problème, on te fera un contrat…

— Elle dit quoi, Ginette ?

— Elle a hurlé d'abord, tu la connais, et puis je l'ai calmée et elle a accepté de tout remettre à plat avec Emmanuelle. Nous n'avons pas franchement gagné de temps sur cette affaire et le temps, comme tu ne l'ignores pas…

— Il y a un souci quand même, tient à préciser Emmanuelle, c'est que, passé la crise, quand nous avons relu le texte, elle a pensé qu'elle garderait bien certaines des modifications. Elles lui ont donné des idées. Elle voudrait savoir si ça ne pose pas de problème. Surtout les passages drôles.

— Où est le problème ?

— Le problème est que Meunier lui a tellement dit qu'on allait tout effacer, qu'il ne resterait aucune trace, qu'elle avait peur qu'on efface trop.

— Je vais l'inviter à déjeuner. Et puis, pour commencer à nous faire pardonner, faisons-lui une jolie couverture en couleurs.

— Qu'est-ce que c'est, une jolie couverture ?

— Celle qu'elle aimera.

Dès qu'ils ont tourné les talons, j'allume ma liseuse pour lire le journal. J'ai mis au point une position parfaite avec les deux pieds croisés sur le bureau, la tablette sur la cuisse à juste distance de mes lunettes, en léger contre-jour, le fauteuil basculé en arrière. Je vais commencer par *L'Équipe*, ensuite ce seront *Le Monde*, *Le Figaro* et *Libé*, en évitant soigneusement les pages littéraires. J'ai renoncé à les lire il y a longtemps. Du temps des grandes fureurs d'Adèle, quand elle pestait chaque semaine : « Regarde-moi ce massacre, comment veux-tu qu'on travaille ? *Le Monde* ne parle que des écrivains morts, *Libé* des étrangers et *Le Figaro* des académiciens ! On fait quoi, nous, avec nos petits Français ? » Attachée de presse est un dur métier. Il paraît que les choses se sont améliorées depuis, mais moi, je ne lis toujours pas les pages littéraires. Les filles me donnent les coupures de presse sur nos auteurs, quand il y en a. Je les lis et je ne veux pas savoir ce qu'il y a autour. Il faut aussi que je pense à lire *Livres Hebdo*, pas seulement pour les petites annonces. J'aime beaucoup la rubrique : « les éditeurs retiennent », avec la liste des titres affligeants sur lesquels ils mettent une option définitive. Je m'amuse à imaginer le livre qui est caché dessous. Il faut que je lise le dossier sur les droits numériques dont Meunier fait ses cauchemars. Il soutient qu'on peut laisser notre peau d'éditeur dans cette histoire. Il adore se faire peur.

Emmanuelle pointe le nez, entre furtivement et pousse la porte derrière elle.

— Je voulais juste vous dire que je m'étais bien marrée. En fait, j'avais tout relu, mais vos ajouts étaient si drôles que je les ai laissés pour voir. Et on a vu. Je suis désolée.

— Elle n'est pas toujours joyeuse, Mme Ginette Perrault !

— Meunier a quand même rajouté pas mal d'huile.

— Tu penses qu'il y a un risque qu'elle s'en aille ?

— Pas le moins du monde. Elle est ravie de l'esclandre. Elle a l'impression que son éditeur s'occupe enfin d'elle à plein temps.

— Tu as une idée de l'endroit où je peux l'inviter à déjeuner ?

— À vue de nez, je dirais thé-tartine, quelque chose du bout des lèvres avec de la porcelaine et une petite serviette en lin.

— Quelle joyeuse perspective ! C'est la double peine ! Tu me trouveras une adresse parce que moi, je ne pratique pas ce genre d'endroit.

— Et surtout, ne commandez pas de l'English Breakfast au déjeuner, ce serait une grave faute.

Les mômes ont installé Adèle au centre du
canapé. Ils ont posé sur ses genoux deux liseuses
et deux iPhones. Mom et Valentine sont de chaque côté, Grégor et Kevin sont serrés à l'extérieur, et Bicot, petit frère geek de Kevin, que je
ne connaissais pas encore, joue le ludion autour
de l'équipage.

— C'est ton vrai nom, Bicot ?
— Mais non, c'est ces tarés qui m'appellent
comme ça, ils disent que c'est un gars dans une
vieille BD et que j'ai sa tête.
— Si tu n'avais que sa tête !
— J'ai la casquette aussi !
— Bière pour tout le monde et vin rouge pour
Valentine ?
— Pas pour moi, je suis trop petit, je bois pas
d'alcool. Un Coca ?

Ils allument les machines et commencent leur
démonstration en pointant du doigt.

— D'abord il y a des choses très simples mais qui marchent bien parce que les gens connaissent déjà. Le poème du jour, la pensée du jour, le proverbe, l'horoscope en vers que nous fait Grangaud, les papiers de verre qui se moquent du monde. Tout ça bien écrit.

— Vous mettez toujours des images ?

— Oui, au moins un fond pour commencer. Après on va animer.

— Vous choisissez les poèmes ?

— Oui, avec un groupe de copains. En fait, on obtient les meilleurs résultats avec les poèmes. Des tas de gens qui n'ouvriraient jamais un recueil sont enchantés de recevoir leur poème chaque matin.

— Il faut dire qu'on les choisit : Apollinaire, Roubaud, Ludovic Janvier, la semaine dernière c'était Follain. Après on fera Jouet.

— On a aussi la nouvelle du jour. On les choisit courtes. On va faire les nouvelles en trois lignes de Fénéon. Les gens aiment les faits divers, ça va cartonner.

— Voilà les sirandanes.

— Ils sont jolis, ces petits dessins.

— Ce sont des broderies de nappes malgaches. Vous jouez ?

— Je joue.

— Là, vous avez la sirandane sur l'écran, d'abord en créole : « Dilo dibou, dilo pandan. » Si vous ne comprenez pas le texte vous touchez une fois l'écran et la traduction apparaît : « De l'eau debout, de l'eau qui pend. » Si vous n'avez pas la solution de la devinette, vous attendez le lendemain et vous avez sur votre écran : « Kan, coco. » Une caresse et la traduction : « Canne à sucre, noix de coco. »

— C'est vraiment adorable. Je peux en faire une autre ?

Je les écoute depuis la cuisine. Ce sont les réactions d'Adèle qui m'intéressent et que je guette en apprêtant le dîner. J'ai donné un tour de cuisson aux frites qui attendent de retourner à la friteuse pour en sortir fraîches et craquantes. J'en fais une fois tous les cinq ans et j'ai chaque fois la trouille de les rater. Je vais leur cuire des tournedos façon Rossini. Par esprit de farce et de solidarité, j'ai pris chez mon boulanger des petits pains aux céréales ronds et je vais présenter les steaks dedans à la façon des « biftecks à la mode de Hambourg », comme on écrivait dans les premières traductions de polars américains chaque fois qu'un « hamburger » tombait sous la plume des traducteurs.

— Nous faisons aussi tout un travail autour de la lecture. L'idée, c'est de profiter de la machine pour lire autrement ou, plus précisément, pour *relire* autrement.

— Comment ?

— On fait apparaître le texte d'un poème progressivement sur la page, à notre rythme et dans l'ordre que l'on veut. Mom, qui est fleur bleue, les fait apparaître en musique.

— Fous-toi de moi, négresse !

— Pas de racisme chez moi !

— Kevin a mis le *Conte à votre façon* de Queneau sur l'écran et il suffit de cliquer sur le choix pour avoir la suite. Préférez-vous l'histoire des petits pois ou des échalas ?

— Je peux essayer ?

Pendant ce temps, moi,

27

je verse une cuillère de vinaigre balsamique dans mes trois cuillerées d'huile d'olive et je touille distraitement en tendant l'oreille.

Kevin prend la main.

— Bicot a fait un truc assez raide, je dois dire, il a inventé une moulinette qui produit du S + 7.

— Du quoi ?

— Tu donnes un texte à la machine et elle te remplace automatiquement chaque substantif par le 7e qui le suit dans le petit Robert. C'est drôle, c'est mécanique. Ça met le sourire dans le métro. On fait aussi quantité de trucs plus faciles avec Grégor, pour que les gens produisent leurs textes : des bouts rimés où il suffit d'écrire le début de chaque vers, des machines à acrostiches, des beaux présents, des refrains automatiques pour chansons…

— J'aurai jamais le temps de tout faire.

— Peut-être, mais on a toujours le temps de

choisir. Il ne faut surtout pas rater le célèbre Institut de prothèse littéraire de Mlle Valentine.

— J'ai pris des textes ultraconnus façon Lagarde et Michard et le programme permet de les modifier : on peut changer les costumes, changer les noms, inverser les sexes.

— Et ce traitement améliore vraiment les textes ?

— Pas vraiment, pas toujours, mais c'est divertissant. On cherche.

Tout cela me rappelle confusément quelque chose du fond de ma cuisine, et je préfère me concentrer sur la cuisson des sablés qui accompagneront la salade de fruits. J'ai honte.

Balmer arrive en retard, comme d'habitude.

— Désolé, je me suis fait tenir la jambe par un petit libraire qui me demandait ce qu'il allait devenir. Vous en êtes où ? Tu fais quoi, Adèle ?

— Je joue et je lis.

— Tu joues *ou* tu lis ?

— Les deux, mon général.

— Puisque Balmer est là, je vais vous faire voir les inédits.

— Là, c'est vraiment trivial, assure Bicot, je me retire et passe en cuisine rejoindre le chef.

— Nous sommes plus proches de la lecture traditionnelle. Chaque matin Balmer nous fait un portrait farceur de la Joconde. Quand il en aura marre, il passera aux œuvres complètes de Philippe de Champaigne…

— Nous avons aussi le feuilleton en mille signes de Geneviève !

— Il est génial, son feuilleton. Moi, j'attends la suite tous les matins comme une folle. Elle livre au milieu de la nuit et Kevin met en ligne à l'aube.

— Attends, c'était génial, elle nous a invités à faire une fête chez elle, elle était déchaînée. Mom n'en revenait pas. Il n'en revenait tellement pas qu'il est resté !

— Jaloux !

Même si elle ne me surprend pas vraiment, la nouvelle est trop jolie pour que je ne pointe pas le nez hors de ma cuisine.

— Toujours en pleine forme, la grande Geneviève ! À ce propos, je ne l'ai pas reçu, ce matin, son feuilleton.

— Non, parce qu'on ajoute la version anglaise. À partir de demain, si on clique sur le petit drapeau, on peut avoir le texte en anglais directement.

— Vous avez des traducteurs de nuit ?

— Oui, pas de problème. On voudrait bien aussi mettre une traduction dans une langue impossible, pour le plaisir. Nous ne sommes pas d'accord. Moi je voudrais le finno-ougrien et Valentine le tchouvache.

— J'aime les poèmes de Guennadi Aïgui.

— Moi, dit Bicot, j'ai un projet avec M. Balmer. Il va m'écrire des textes qu'on peut réarranger.

On en déplace des morceaux sur l'écran et on lit autre chose. Ce qui est difficile, c'est que je ne voudrais pas des coupures horizontales, comme dans les portraits chinois, mais des diagonales. Il en bave, il traîne, M. Balmer, mais je ne lui en veux pas parce que ce sera très joli et il fera des textes très tristes comme une épopée, et nous pleurerons quand nous l'aurons lue.

28

Adèle est heureuse de se déplier.

— Je craque de partout et j'ai la tête farcie.
J'ai bien mérité un verre de vin.
— Cette bouteille-là, c'est du morgon.
— Du morgon qui morgonne ?
— Il a intérêt ! À table.

Ils ont faim, ce qui est à peu près la seule chose
qui puisse un instant les réduire au silence. Lorsque j'apporte les frites, ils applaudissent, puis
se taisent religieusement et goûtent. C'est brû-
lant, ça craque et c'est mou dedans, c'est un peu
déroutant parce qu'elles se sont ni calibrées ni
congelées. C'est bon quand même ? C'est bon
franchement ? C'est délicieux ! Ouf, j'ai réussi
mon examen. Maintenant, je me prépare à un
duel silencieux avec Bicot. Il me regarde, je le
regarde. Il y va-t-y, il y va-t-y pas ? Il hésite
encore. Il me regarde en hochant la tête. Je le
soulage :

— J'en ai.

Et je vais lui chercher le ketchup que j'avais préparé dans la cuisine. Il a le grand sourire. Je me suis fait un complice. Il place soigneusement son morceau de filet de bœuf au foie gras entre les deux moitiés de son pain ketchupé, croque un grand coup. La viande est tendre et se coupe avec les dents comme un steak haché.

— Il est fameux ton Big Robert, articule-t-il entre deux bouchées.

Une motion approuvée même par ceux qui utilisent des fourchettes. Balmer, qui est sensible au festin en général et à celui-ci en particulier, leur raconte le jour où il avait invité des amis à dîner, et où il avait prévu de faire un gigot congelé. Son four est tombé en rade au dernier moment, son gigot est resté aussi glacé que ses patates et les convives se sont finis aux tartines de ketchup sur du pain pas grillé. Les mômes se marrent, moi, je connais déjà l'histoire, j'y étais.

Adèle leur dit qu'elle est vraiment contente d'avoir eu sa démo, que c'est gentil d'être venus lui présenter « Au coin du bois » au complet. Kevin explique qu'avec son petit frère ils sont rentrés dans les sites des éditeurs pour voir où ils en étaient pour faire le point sur l'avancement des travaux en général.

— Une chose est sûre, explique Bicot, c'est qu'aux éditions Dubois, vous avez trois gros diesels qui travaillent à l'informatique. Vous n'allez pas avancer très vite...

— Attends, Bicot, je ne veux pas faire vieille grand-mère, je ne veux pas savoir ce que tu veux faire quand tu seras grand, dit Adèle, tu es déjà grand et tu fais déjà ce que tu vas faire, non, ce que je veux savoir, c'est comment tu t'imagines dans quelques années.

— Tu veux dire après qu'on aura vendu « Au coin du bois » très très cher à une Major ? Ce que je voudrais vraiment, moi, c'est faire le milliardaire de vingt-cinq ans qui se promène sur les trottoirs avec un vieux jean, un pull trop grand et la casquette de base-ball...

— Ah non, pas de casquette de base-ball ! s'écrie Valentine.

— ... sans casquette de base-ball, en attendant qu'une bonne idée lui tombe sur l'épaule. Imagine : nous sommes tous riches, j'ai un paquet terrible à la banque, je fais semblant de m'en foutre et je circule dans le monde entier au hasard des avions (bizness class !) sans jamais savoir exactement où je me trouve. On me signale un jour à Palo Alto en train de miner Oracle, on m'a vu chez Apple à Seattle, on me repère à Dubaï, j'étais grimé mais on m'a vu sortir de chez IBM... et moi, je marche, les mains dans le dos et la tête en l'air, je cherche le bon truc qui va me refaire milliardaire. Attends, c'est pas majeur, ça ? C'est pas modernissime ? On fera un film sur moi !

— Voilà qui est, conclut Balmer, une assez nouvelle façon d'être éditeur.

29

Je sens autour de moi les ondes de la « conspi-
ration déprime ». Mes collègues ont collective-
ment décidé que, cette fois, j'étais dépressif pour
de bon. On chuchote à mon propos autour de
la machine à café et on me manipule comme un
œuf. Cassable, je suis décrété cassable. D'abord
fendillé, ensuite fendu et là, le cerveau glauque
s'écoule dans le caniveau, suivi de la boule jaune
des belles humeurs et c'est le début du voyage
dans les ruelles noires de la cité des ombres.

En vérité, je vais plutôt pas mal, mais je dois
reconnaître que je ne fais pas vraiment d'effort
pour répandre la nouvelle ; c'est pourquoi se dif-
fusent autour de moi ces fameuses ondes. Tous
voudraient me servir d'airbag, et leurs sollicitu-
des me sont autant d'épines. On me demande
si j'ai bien dormi. On m'apporte un carré de
chocolat au prétexte que « ça remonte ». On parle
par hasard d'une benzodiazépine qui myore-
laxe comme personne. On se propose de me sou-
lager dans mes lectures (sans doute les juge-t-on

moins aiguës qu'autrefois). On m'invite à des goûters enfantins, sans doute pour y faire le clown. On veut m'envoyer à la foire de New Delhi. Des gens avec qui je ne mangerais pour rien au monde m'invitent dans leurs bistrots canailles préférés.

— Goûtez-moi cette louise-bonne ! m'ordonne la chef de fabrication qui jouit d'un jardin.

L'idéal, me soutiennent les connaisseurs, les célèbres déprimologues qui saisissent l'occasion de me confier les étapes de leur propre voyage au bout de la nuit, serait de me « changer les idées ». Cette expression me plonge dans la perplexité, d'une part parce que je tiens à certaines de mes idées, que je n'échangerais contre aucune hypothétique guérison, ensuite parce que quelques idées que j'ai et qui me déplaisent sont aussi celles dans quoi je puise un certain nombre de désagréments qui me stimulent passablement l'intellect. Je ne les changerais donc pas non plus.

Pour la majorité, « se changer les idées » consisterait à « prendre de longues vacances au soleil ». Chacun sait que la vacance fait du tigre un agneau et de l'agneau un loup, dans tous les cas bronzé, donc non déprimé. Quoi de mieux qu'une plage pour vous changer les idées ?

Il se trouve que la plage agit sur moi comme un filtre. L'action combinée de l'eau et du sable sépare mes idées colorées pour les mener au large et me laisse les idées noires pour me bronzer l'intérieur du crâne. Une sorte d'idéal pour m'enfoncer le moral, une imprudence qui saurait me désespérer.

Je laisse donc passer les ondes et montre un discret agacement aux gentillesses mielleuses des unes et des autres. Ce qui finit de les convaincre que je suis bel et bien en dépression et les incite à m'en resservir une louche.

Meunier, qui se tient plutôt à distance, me la joue technique lorsqu'il se décide enfin à m'approcher sous la pression de l'opinion populaire :

— Tu sais, si tu as besoin de couper, pas de problème, on assume. Tu peux partir avec Adèle, tu peux même rester à Paris si tu le souhaites, je te connais. Tu peux continuer à travailler au loin et à suivre les affaires… Il ne peut rien arriver.

— Tu ne peux même pas me baiser si j'ai le dos tourné.

— Même pas, puisque c'est déjà fait.

— En quelque sorte, tu me dis que je ne sers plus à rien.

— Sacré Gaston ! Je n'ai pas dit ça !

— Mais tu l'as pensé très fort.

— Non, tu sais bien que tu portes un joli nom de maison d'édition et que les auteurs, même Ginette Perrault, et en dépit de tous mes efforts, te font encore confiance. Au moins jusqu'à ce soir.

Un hiver est passé, un printemps devrait arriver et je me sens pourtant en humeur d'automne. « Au coin du bois » engrange. Contre toute attente, le premier roman de Maud est un vrai succès. C'est par surprise que vont les choses dans la vieille édition. Il ne s'agit pas d'un succès d'estime mais bien d'un vrai succès qui s'est construit au fil des jours et qui est maintenant à maturité. Les gens veulent lire ce livre, ils s'en parlent, ils se le prêtent, ils s'y plaisent, ils se chamaillent. Nous en vendons un millier par jour. La presse, qui en a parlé gentiment et discrètement au début, revient maintenant dessus pour analyser le phénomène et récupérer une frange de ses lecteurs. Maud est partout en photo. Son livre l'a inventée. Elle est un nouveau personnage, bien vêtue par de « jeunes créateurs et trices », talonnée, bijoutée, sûre de sa démarche. Il l'a rendue belle. Grâce à la providence des écrivains inquiets, elle est restée gentille et secrètement elle-même. On la voit souvent sur les plateaux de télévision donner son avis sur des sujets dont elle ignore tout. Elle le fait avec grâce, on cite le titre de son ouvrage, et souvent dans le public, on devine la silhouette de Valentine, comme son ombre. Elles parcourent la France de long en large, de librairie en France 3 région. Je reçois des cartes de chez Géronimo, de chez Kléber, de Sauramps, de Mollat, du Furet... Elles apprennent le territoire et à dîner en province.

À Paris, Hautement est moyennement heureux de ce succès, il pense qu'il s'est construit au détriment de celui auquel pouvait aspirer son propre livre. Selon lui, la maison ne vit plus qu'au rythme de Maud et les autres passent à la trappe. Il faudra le surveiller dans les mois qui viennent pour qu'il ne file pas voir ailleurs si la gloire y est. Balmer est perplexe et se demande ce qu'il faudrait qu'il écrive pour y goûter à son tour. Par l'effet de son inexpérience, Valentine trouverait cette bombance éditoriale presque normale ; après tout n'a-t-elle pas aimé le livre elle-même avant tout le monde ?

— Je sors de chez Meunier, il m'a proposé un CDD. Il pense que j'ai la main heureuse et il veut « me donner ma chance ».

— C'est le moins qu'il pouvait faire.

— Mais je ne sais pas trop si je dois accepter. Avec « Au coin du bois », c'est beaucoup de travail, beaucoup de projets.

— Pas du tout Valentine. Tu as mis un pied dans la vieille édition, et quel pied, et tu en as déjà un autre dans la prochaine ! Tu es exactement à la bonne place, en équilibre instable. À l'endroit de la crise. L'édition littéraire n'a jamais été vraiment en crise, elle *est* la crise. C'est sa nature. Et puis on ne dit pas non à Meunier, surtout s'il paie correctement.

— Depuis qu'il file le parfait amour, il est prêt à toutes les générosités. À propos d'amour, je voulais te dire que Grégor quitte « Au coin du bois ». Par ma faute.

— Vous vous êtes engueulés ?

— Non, mais il veut être mon amoureux et je ne veux pas être son amoureuse. Il ne veut pas rester près de moi. Il dit que ça le cogne.

— Tu n'as pas fini avec ça…

— Tu crois que je dois accepter, c'est un gentil garçon ?

— Tu es folle, je n'ai jamais dit une chose pareille. Démerde-toi.

— Tu sais quoi ? Geneviève s'explose : elle nous invente des histoires invraisemblables. Tout le monde en redemande. Demain matin, tu verras, c'est une grosse qui, pour faire de l'exercice, oblige sa petite fille à cacher partout dans sa maison des éclairs au chocolat, des babas au rhum et des choux à la crème !

31

Je lisais un manuscrit sur la vieillesse de l'alexandrin, lorsqu'un monsieur fait irruption dans mon bureau. Il tient dans sa large main une liseuse semblable à la mienne.

— Bonjour, me dit-il, voici votre nouvelle liseuse.

— Je préfère la vieille, réponds-je en me crispant. Elle est pleine de bonne et moins bonne littérature.

— Je vais tout vous mettre dans la nouvelle.

— Celle-ci marche très bien et je préfère la garder.

— Ce n'est pas possible, nous changeons tout le parc.

— Le « parc » ?

— Tout le monde est équipé maintenant, et vous verrez, ce nouveau modèle est beaucoup mieux. Il est plus rapide.

— Mais c'est moi qui lis à mon rythme, c'est pas la machine qui lit à ma place. Et puis la vieille est neuve, on ne change pas les choses neuves, surtout quand elles sont bourrées de vieille littérature…

— Vous verrez, l'écran est plus net et vous capterez internet en un éclair.

— L'éclair n'est pas inscrit dans mes rythmes biologiques.

— Soyez raisonnable, donnez-moi votre vieille liseuse.

— On se connaît à peine, elle et moi, je ne suis même pas encore certain de savoir m'en servir.

— Je vais vous transférer tout le contenu dans la nouvelle.

Je dois reconnaître que la nouvelle liseuse ressemble trait pour trait à l'ancienne. Elle se glisse sans effort dans la pochette en faux croco, elle émet le même petit souffle lorsqu'on l'allume. À la regarder de plus près, je ne lui retrouve pas les fines rayures, les subtiles cabossures de l'ancienne, la trace de ces petits coups que je lui donnais de rage lorsqu'un texte m'exaspérait. Mais je sais que ça viendra.

Je lui fais passer le test du tour de ville pour tenter de lui trouver un défaut et confondre ce gros type, mais en vain. Elle marche.

Je finis de lire mon manuscrit, partie au square, partie au bistrot, en buvant distraitement un demi insipide dont je n'ai pas envie. Combien d'exemplaires peut-on vendre d'un texte aussi magnifique ? Cette question aura été la question de ma vie, somme toute et, après tout ce temps, il est comique de penser que je n'ai pas l'ébauche d'une réponse. Je suis un comique.

Je me dis qu'Adèle va être contente de découvrir la nouvelle liseuse. Elle pourra regarder le même feuilleton que d'habitude, mais en plus net. Je la lui tends en arrivant, disposé à lui faire le boniment, mais Adèle ne lui accorde pas vraiment l'attention que j'anticipais.

— Je t'attendais avec impatience. Figure-toi que mes bras ont raccourci ce soir, me dit-elle. C'est à toi de me passer dans le dos la bienfaisante crème.

Le soir du mariage de Sabine et Meunier, Valentine porte une robe blanche qui tourne et nous dansons le rock'n'roll. Elle rit de ses dents assorties à sa robe. Nous faisons quelques passes acrobatiques et je me dis que les invités doivent penser que je vais franchement mieux. Il y a grand monde, et si tous les convives n'étaient pas déguisés, on pourrait penser à une réunion de représentants.

Meunier a choisi un endroit étrange, une galerie d'art, près de la Bastille, La Maison Rouge, vaste et coudée avec une sorte d'aquarium au milieu dont le sol est gravillonné et qui porte, au centre, une tombe de marbre noir. Un artiste a enterré là quelques illusions, sans doute, et l'effet joyeux est garanti.

— Moi, je ne l'aurais pas dit.
— Ils font un si beau couple !

Valentine veut encore danser et elle me ferait volontiers perdre souffle. Chance pour elle, j'ai une petite réserve de rage qui lui offre encore quelques tourbillons.

— Tu danses bien, me dit-elle. Jamais je ne l'aurais imaginé.

— Je cache en moi un terrible rockeur et ma vie entière n'est qu'un long rock'n'roll. Je suis un guitar hero grimé en éditeur.

— Tu devrais inviter Maud à danser, me dit-elle.

— Fais-le toi-même.

— Je lui réserve mes tangos.

On me propose un toast avec une micro-asperge dessus que j'accepte. On me propose un verre de champagne que je bois. Je m'en propose un deuxième que je bois aussi. On m'en offre un troisième. D'habitude, j'ai des relations plutôt tendues avec le champagne, mais là, il coule. Sabine s'approche de moi et me pince la joue en riant de sa bonne farce. J'ai une grande envie de lui mettre la fessée, mais je me dis que cela ne doit pas se faire. Après tout, c'est elle la mariée — on la reconnaît à sa robe compliquée.

Geneviève, dans un extravagant tailleur-pantalon, flanquée de Mom, fait la tournée de tous les invités pour les assurer qu'elle est bien là. Balmer a mis une cravate pour le plaisir de ne pas la nouer. La température monte. On se fait photographier devant la tombe, le verre à la main.

Meunier passe près de moi et, plein de sollicitude, hèle une jeune serveuse, pour lui donner un ordre :

— Servez à boire à mon ami Gaston !

La fête prend la forme d'une mer dont les vagues montent et remontent, roulent dans ma direction et me poussent. Je m'abandonne au courant, éprouvant une grande sensation de repos et d'indifférence. Ce n'est que lorsque je me retrouve sur le trottoir à l'extérieur, mon verre encore à la main, que j'ai le sentiment d'avoir commis une faute.

33

Sur le boulevard Bourdon, la température n'est que de treize degrés. La fraîcheur monte du canal. Les péniches amarrées grincent dans les vaguelettes. Je remonte vers la Bastille, mon verre à la main. Je vais pouvoir le lever à la santé des beautés de la ville et à la gloire des araignées qui tissent si bien leurs jolies toiles. Je porte mon verre comme si je portais un bouquet, les passants me sourient et j'incline la tête pour les saluer. Champagne !

Je trinque avec les mariniers du port de l'Arsenal, je salue les chanteurs de l'Opéra, la colonne de Juillet, le ciel d'avril…

Je passe devant une terrasse chauffée, le garçon de café m'interpelle.

— Asseyez-vous, on va vous le remplir, votre verre !

Je trouve l'idée intéressante. Le gaillard est sympathique.

— Du chablis sans bulles cette fois.

— C'est comme si c'était fait.

Et je sirote mon chablis à gorgées minuscules pour que le moment s'étire. Du plomb fondu coule dans mes mollets et je doute de pouvoir me lever de sitôt. Les passants passent, comme des petits êtres plats en deux dimensions, simultanément, ils sont des milliers. Malgré la lueur orange du brasero au-dessus de ma tête, le chablis garde ses beaux reflets vert doré. À travers, je regarde le monde qui se déforme et se colore. Je me sens bien. J'aimerais avoir un manuscrit à lire. Le garçon repasse avec sa bonne bouteille.

— Ah tu es là ! Tu as pu échapper au piège, toi aussi.

C'est Balmer, en plus débraillé, avec un peu de roulis. Sa cravate roulée en boule sort de la poche de son veston, sa chemise est passée par-dessus sa ceinture. Il se laisse tomber sur la chaise voisine.

— La même chose, garçon ! Tu vois, Robert, j'ai bien réfléchi pendant la cérémonie, je ne vais plus écrire que des romans d'amour. En vérité, je pense qu'on peut tout faire avec les romans d'amour : de l'histoire, de la politique, de l'expérimentation formelle, même. Mon dernier livre manque de sentiment, manque de sexe, manque de désir, il est trop cérébral. Regarde la petite Maud, excuse-moi, mais avec des sentiments à cent balles, elle fait 100 000.

— 200 000.

— Il faut que je travaille plus près de mes lectrices. La même chose, garçon, merci. Il faut que je trouve un nouveau désordre amoureux. Que j'invente de nouveaux codes : la séduction, la jalousie. Tu vois, l'histoire d'un gars qui rencontre une fille… Oh là là, il faut que j'y aille. Je suis toujours à la bourre. Embrasse Adèle, j'y vais, et puis je suis content de voir que tu m'approuves.

Et il disparaît vers le soir.

34

Le jour où Adèle est morte après de très grandes souffrances était un jour délicieux. Le cancer des attachées de presse n'est pas regardant sur la météo. Il faisait un soleil radieux sur Montparnasse, les oiseaux chantaient et les feuilles feuillaient. Même la proximité de la rue Froidevaux ne parvenait pas à glacer l'atmosphère.

Je n'ai pas aimé toute la partie technique de sa mort, la toilette, les familles, les serrements de mains, les baisers ramollis aux larmes et autres étreintes intempestives. Au début, les « elle est morte Adèle » m'ont fait un peu sourire, après, moins. Je n'ai pas aimé tellement non plus le cimetière Montparnasse qui est très encombré, on doit y marcher sur les tombes des autres pour atteindre la sienne.

On comptait environ les mêmes invités qu'au mariage de Sabine, plus toute la famille des attachées de presse et un bout de la maison d'édition pour laquelle elle travaillait. Tout ce monde-là piétinait les tombes ou tentait de se tasser dans les allées étroites. C'était touchant de les voir ainsi se bousculer. On aurait juré une foule de Sempé.

On a rangé ma morte dans sa tombe, on a défilé devant elle. Deux costauds de circonstance ont posé sa pierre dessus et la foule s'est dispersée. Fin du Sempé.

Ensuite, lorsque tout a été fini, que je me suis retrouvé seul, j'ai pu profiter du beau soleil de la fin du jour. J'ai décliné les invitations, j'ai poussé les retardataires dans le dos pour qu'ils filent et j'ai fait un tour du cimetière pour saluer quelques amis. Je ne suis pas très fort en cimetières mais je me souvenais de quelques emplacements. En vérité, je n'y viens jamais, c'était l'occasion qui faisait le larron. Quelques brins de chiendent poussaient entre les tombes, ici où là des fleurs bleues. La lumière était transparente, la ville roulait au large, des veuves noires charriaient des fleurs. Un jardinier poussait lentement dans les allées la brouette des morts.

Une dame m'a demandé gentiment, en se tamponnant le nez, si j'avais moi aussi perdu quelqu'un. Je l'ai rassurée sur ce point. Sans doute ai-je traîné en route puisque la nuit est tombée en douce. Le jardinier m'a poussé dehors à mon tour, menaçant mes talons avec sa roue avant.

Passé le long mur noir du cimetière, la ville était allumée comme à son habitude. Les voitures ronflaient au carrefour, la bouche du métro libérait ses Parigots. J'ai emprunté la rue de la Gaîté sur la gauche avec l'idée d'y manger quelque chose et j'ai finalement décidé de rentrer chez moi.

35

Le temps radieux ne s'est pas démenti depuis et je suis dans l'appartement inondé de lumière, occupé à tourner sur moi-même, comme un phare.

J'ai cessé d'aller au bureau. Pour être clair, j'ai cessé d'aller tout court. Je ne vais plus, ni bien, ni mal, ni ailleurs, ni mieux ni moins bien. Je n'avance pas, je ne recule pas, je suis planté là, comme un menhir faible.

La mort d'Adèle ne m'accable pas, je n'éprouve pas vraiment de privation, j'ai beaucoup profité d'elle. Je ne tends pas la main vers elle comme un automate, je sais qu'elle n'est plus là. Je ne la cherche pas dans le lit, je ne la pleure pas, je ne me plains pas de son absence. Je ne me dis pas que nous sommes peu de chose. Non, je suis simplement vivant et je veux lire.

En deux coups de téléphone, j'ai donné toutes mes actions d'« Au coin du bois » aux jeunes et à Balmer. En fin de compte, c'était bien moi qu'ils attendaient au coin de leur bois. Balmer m'a dit que j'étais cinglé, que j'agissais sous le coup du malheur, que cela avait beaucoup de valeur, que Bicot ne serait peut-être pas milliardaire mais qu'il pourrait sans doute faire un beau millionnaire en jean et pull trop large, que je devais réfléchir, et je lui ai dit que ne n'avais vraiment plus le temps. J'avais à lire.

Je suis allé à ma librairie préférée. J'ai tourné longtemps, les mains dans le dos entre les tables et devant les rayons. Si longtemps que plusieurs fois des vendeuses dévouées sont venues me demander si je souhaitais être aidé. Je ne souhaitais pas être aidé. Je m'aidais.

— Je voudrais un carton, s'il vous plaît. Vous savez, un de ces cartons dans lesquels vous mettez vos retours.

— Tout de suite, monsieur.

— Vous y mettez combien de livres, en général ?

— Une cinquantaine.

J'ai donc fixé cinquante. J'aurais pu dire dix aussi bien que mille, mais j'ai opté pour cinquante. Les cinquante livres que mon métier m'a empêché de lire et que je vais lire enfin.

D'Aragon à Fritz Zorn, je choisis avec méthode des titres que je place dans le carton, éditions originales, livres de poche, traductions, gros éditeurs, petits. Je choisis certains titres pour m'étonner, certains parce qu'ils ne me font vraiment pas envie, certains parce qu'ils m'ont toujours tenu en respect. Je vais les lire tous, comme on lit les livres, avec colère. Je serai libre de ma rage.

Pourquoi, au moment de payer, me dis-je que les livres sont chers ? J'ai passé ma vie à prouver le contraire.

— Excusez-moi, Monsieur, vous n'êtes pas Robert Dubois, le vieil éditeur ?

36

Les livres forment maintenant un rempart sur le bord de ma table. Le carton où ils retourneront lorsqu'ils seront lus est posé sur le parquet. Je suis enfin derrière une muraille de livres. Chaque jour je me suis dit : « Il faut que tu lises ça. » « Si j'avais le temps je lirais ça. » « Quand je pense que je n'ai toujours pas lu ça. » « Ils ont de la chance, ceux qui peuvent lire en liberté. » « Si seulement j'avais lu ça, je serais un bien meilleur lecteur… »

Maintenant ils sont là, devant moi. Les *Belle du Seigneur*, les *Tiers Livre*, les *Bûcher des vanités*, les *Bardane par exemple*, les *Coup de dés*, les *Trente et un au cube*, les *Habits noirs*, les *Tour du jour en quatre-vingts mondes*, les poèmes en langage enfançon du capitaine Papillon. Leurs dimensions sont exactement celles du champ de silence qui s'étend à l'horizon. Je n'éprouve aucun sentiment de hâte, aucune angoisse. Je sais que nous allons nous étriper. La lecture sera sanglante, ils ne me feront pas de cadeau et je ne leur passerai rien. S'il le faut, ils me bouleverseront et je les jetterai de rage contre les murs.

Le frigo est bondé, la porte est barricadée. Tout est soigneusement débranché, le téléphone, la télévision, le désir.

Il fait beau, je m'en fiche. Il pleut, c'est tant mieux. Que viennent la neige et les orages.

Je pose ma liseuse et mon téléphone portable sur la table. Je rédige un SMS final à Valentine en robe blanche : « Danse bien », et je reste interminablement assis en face d'eux à les fixer. Je ne suis pas impatient. Je sais que peu à peu mes appareils se vident de leur énergie et de leur sens. Le jour décline, et après une longue attente, je les entends enfin qui se tordent de douleur. Ils poussent des petits cris d'alerte, ils réclament leur pain et, après un dernier spasme, un ultime clic, ils s'enfoncent tour à tour dans le noir.

Désormais, le comité antidéprime n'a plus de voie d'accès. Je suis un homme livre. Ma muraille me protège. Et je lis pour, lentement, posément, la détruire. Je prendrai les briques sans ordre ni préméditation, la lecture viendra selon son propre hasard et je sais que l'ordre sera le bon. Laissés en liberté, les livres ne se trompent guère.

J'ouvre la première page du premier, je craque mon premier dos, je plonge mon nez à l'intérieur pour le flairer et j'attaque.

Lorsque j'aurai terminé la lecture du dernier mot de la dernière phrase du dernier livre, je tournerai la dernière page et je déciderai seul si la vie devant moi vaut encore la peine d'être lue.

Ce texte épouse la forme d'une sextine, forme poétique inventée au XIIe siècle par le troubadour Arnaut Daniel. Il en respecte le nombre de strophes et la rotation des mots à la rime. Les mots lue, crème, éditeur, faute, moi *et* soir *tournent en fin de vers selon l'hélice classique de la sextine.*

Les vers sont mesurés. Comme ils servent à conter le destin d'un homme mortel, cette mesure subit une attrition (boule de neige fondante) : la première strophe est composée de vers de 7 500 signes et blancs, la deuxième de 6 500 signes et blancs, et ainsi de suite jusqu'à la sixième qui comporte des vers de 2 500 signes et blancs. L'ensemble constituant un poème de 180 000 signes et blancs.

DU MÊME AUTEUR

Aux Éditions P.O.L

LA LISEUSE, 2012 (Folio n° 5601)

Aux Éditions Gallimard

LE JOUR QUE JE SUIS GRAND, 1995

LES PETITES FILLES RESPIRENT LE MÊME AIR QUE
NOUS, 1978 (Folio n° 2546)

L'ÉQUILATÈRE, 1972

Chez Gallimard Jeunesse

UN ROCKER DE TROP, 1986

LA REINE DE LA COUR, 1979

Aux Éditions Joëlle Losfeld

UN ROCKER DE TROP. Nouvelle édition, 2004

Aux Éditions du Mercure de France

TOI QUI CONNAIS DU MONDE, 1997

Chez d'autres éditeurs

ANQUETIL TOUT SEUL, Seuil, 2012

COURBATURES, Seuil, 2009

MÉLI-VÉLO, Seuil, 2008

LES MAINS DANS LE VENTRE suivi de FOYER JARDIN,
Actes Sud, 2008

LES ANIMAUX D'AMOUR ET AUTRES SARDINOSAU-
RES, Castor astral, 2007

CHAMBOULA, Seuil 2007

À LA VILLE COMME À LA CAMPAGNE (DEUX VOCA-
TIONS RATÉES), Après la lune, 2006

POILS DE CAIROTE, Seuil, 2004

TIMOTHÉE DANS L'ARBRE, Seuil Jeunesse, 2003

BESOIN DE VÉLO, Seuil, 2001

FORAINE, Seuil, 1999

ALPHABET GOURMAND, Seuil Jeunesse, 1998

GUIGNOL : LES MOURGUET, Seuil, 1995 ; ÉLAH, 2008

PAC DE CRO DÉTECTIVE, Le Verger édit, 1995

UN HOMME REGARDE UNE FEMME, Seuil, 1994

LES ATHLÈTES DANS LEUR TÊTE, Ramsay, 1988

SUPERCHAT ET LES CHATS PITRES, Nathan, 1987

SUPERCHAT CONTRE VILMATOU, Nathan, 1987

SUPERCHAT ET LES KARATÉCHATS, Nathan, 1987

LES GROSSES RÊVEUSES, Seuil, 1982

LES AVENTURES TRÈS DOUCES DE TIMOTHÉE LE RÊVEUR, Hachette Jeunesse, 1982

L'HISTOIRE VÉRITABLE DE GUIGNOL, Slatkine, 1981

Composition Nord Compo
Impression Maury-Imprimeur
45330 Malesherbes
le 3 décembre 2013.
Dépôt légal : décembre 2013.
1er dépôt légal dans la collection : mai 2013.
Numéro d'imprimeur : 186494.

ISBN 978-2-07-045163-0. / Imprimé en France.

265396